O BISPO

A HISTÓRIA REVELADA DE EDIR MACEDO

O BISPO

A HISTÓRIA REVELADA DE EDIR MACEDO

DOUGLAS TAVOLARO
com reportagem de Christina Lemos

LAROUSSE

O bispo – A história revelada de Edir Macedo

DIREÇÃO GERAL Fabio Godinho
DIREÇÃO EDITORIAL Soraia Luana Reis
EDITOR ASSISTENTE Isney Savoy
ASSISTÊNCIA EDITORIAL Leila Toriyama
PREPARAÇÃO DE TEXTO Eliel Silveira Cunha
REVISÃO Rosamaria G. Affonso, Paola Morsello e Naiara Raggiotti
PROJETO GRÁFICO E DIAGRAMAÇÃO SGuerra Design
EDIÇÃO DE ARTE (CAPA) Cintia Karina Reis
PROJETO GRÁFICO DA CAPA Sart/Dreamaker Brand & Design
GERENTE DE PRODUÇÃO Fernando Borsetti
COLABORAÇÃO ESPECIAL Leandro Cipoloni e Fábio Fleury
COLABORAÇÃO Domingos Fraga e Octávio Tostes

REPORTAGEM FOTOGRÁFICA Lumi Zúnica
FOTO DA CAPA E MIOLO P. 27 Epitacio Pessoa/*AE* 26/05/1992
FOTO P. 30 Arquivo *Diário SP*/Agência O Globo
FOTO P. 32 Revista *Veja* - Reprodução/ Editora Abril
FOTOS ADICIONAIS Bill Coelho, Biô Barreira, Universal Produções, arquivo pessoal e reprodução TV Record

AGRADECIMENTOS: Ivanildo Lourenço, Marcos Pereira, Alexandre Raposo, Edinomar Galter, Demerval Gonçalves, Alba Maria, Celso Bezerra, Paulo Machado de Carvalho Filho, Wagner Fiori, Vagner da Silva, Adriana Guerra e Secretaria de Segurança Pública de São Paulo.

Dados Internacionais de Catalogação na Publicação (CIP)
(Câmara Brasileira do Livro, SP, Brasil)

Tavolaro, Douglas
O bispo : a história revelada de Edir Macedo / Douglas Tavolaro com reportagem de Christina Lemos . -- São Paulo : Larousse do Brasil, 2007.

ISBN 978-85-7635-265-5

1. Macedo, Edir 2. Pastores evangélicos - Biografia I. Lemos, Christina. II. Título.

07-7082 CDD-280.4092

Índice para catálogo sistemático:
1. Pastores evangélicos : Biografia e obra 280.4092

1ª edição brasileira: 2007
Direitos de edição em língua portuguesa, para o Brasil, adquiridos por Larousse do Brasil Participações Ltda.
Av. Prof.ª Ida Kolb, 551 – 3º andar – São Paulo/SP CEP 02518-000
Telefone (11) 3855-2290 / Fax (11) 3855-2280
E-mail: info@larousse.com.br
www.larousse.com.br

“Todo mundo é prisioneiro de sua própria experiência. Ninguém elimina preconceitos – apenas os reconhece.”

Ed Murrow, correspondente de guerra, âncora da rede CBS e considerado um dos mais notáveis jornalistas americanos do século XX

Agradecimentos

a Edir Macedo e Ester Bezerra, pela cordialidade;

a todos entrevistados e citados no livro que
cederam documentos, informações
pessoais e fotos, pela confiança;

a Sheila, Giovanna e Júlia, pelo amor e pela
compreensão de sempre.

Sumário

APRESENTAÇÃO

FIO DA NAVALHA

Escrever a biografia autorizada do bispo Edir Macedo foi um desafio que aceitamos com um misto de entusiasmo e preocupação. Entusiasmo por saber que estávamos diante daqueles momentos em que a vida reserva uma única chance. Quando reserva. E preocupação pelo peso do que nos foi proposto: contar a vida do homem que criou a Igreja Universal do Reino de Deus, liderou um processo de crescimento religioso sem paralelo na história do Brasil e construiu um império de comunicação.

Por tudo isso, e também pelas características de uma personalidade carismática, arrojada e corajosa, Edir Macedo fez amigos e inimigos. É amado e odiado. Reverenciado e criticado. Tudo em grandes proporções. Um livro sobre o dono desse histórico certamente vai gerar polêmica. Provocar reações exasperadas. Mas a polêmica em si não nos incomodava. O que nos incomodava era a possibilidade de não traduzirmos com justiça a dimensão real do biografado. Tanto para os que o exaltam quanto para os que o detratam.

Mais que um pregador, Edir Macedo é o retrato bem-acabado do que chamamos de líder. Foi assim, rompendo desde cedo com a perspectiva de uma vida decente mas comum, que ele se firmou como alguém que não estava aqui para ser coadjuvante. Alguém que não se acomoda. O bispo, como hoje é reconhecido, fez dessa inquietude um modo de vida. Ainda pastor, surpreendia pela vasta cabeleira e pelo gestual, a ponto de ser chamado de "pastor bossa-nova". Surpreendia, sobretudo, pelo discurso. A "teologia da prosperidade", pregada por ele, foi um divisor de águas na história recente dos movimentos neopentecostais no país. É bom lembrar que naquela época, final dos anos 1970, os "crentes", como eram popularmente conhecidos os evangélicos, nem de longe tinham a importância que têm hoje na sociedade brasileira.

Não é gratuito afirmar que as multidões extraordinárias reunidas pela Igreja Universal em seus encontros foram o sinal para que os evangélicos começassem a ser mais respeitados. Em razão da "teologia da prosperidade", Edir Macedo foi agredido, chamado de charlatão e preso. A seus detratores, sempre respondeu com a força da sua obra. Uma obra que cresceu tanto que assusta aos que se dispõem a tentar entendê-la.

O AUTOR E O PERSONAGEM
Setenta horas de gravações em catorze meses

Aos 62 anos, o bispo Edir Macedo tem milhares de seguidores no mundo todo. Isso mesmo: seguidores. Quando paramos para pensar na força dessa palavra, nossos medos afloraram. Como expor a vida desse homem para esse povo sem magoá-lo? Como falar das suas fraquezas sem ferir os que nele acreditam? Como relatar fragilidades? E os momentos de agonia? Como vasculhar a história de alguém tão aclamado? O homem sobrevive ao mito? E o mito, pode ser desnudado?

Essas questões ganharam ainda maior dimensão porque nós, os autores, Douglas Tavolaro, diretor de jornalismo, e Christina Lemos, repórter especial em Brasília, somos funcionários da Rede Record de Televisão. Em português claro: Edir Macedo é nosso patrão. Como ter isenção para contar a vida de quem paga nosso salário?

O leitor pode se perguntar: "Se eles tinham tantas dúvidas, por que aceitaram a empreitada?". Nesse momento prevaleceu o profissional. Tínhamos consciência do valor jornalístico formidável dessa obra. Do que ela pode representar como documento histórico. Afinal, depois de doze anos, o bispo Macedo rompia o silêncio para falar de sua vida.

O primeiro encontro com Edir Macedo confirmou que tínhamos tomado a decisão correta. Para quem não o conhece, ele surpreende pela simplicidade. E sinceridade. Assim, de modo objetivo, enxuto, sem rodeios, como é de seu estilo, deixou claro que não queria um livro-reportagem "chapa-branca". Obviamente, não gostaria de ser vilipendiado pelos autores, mas recusava qualquer tipo de bajulação. Ficamos convencidos de que ele só queria que soubéssemos contar o que tinha para dizer. A partir daí, a angústia acabou. Iríamos escrever o livro para o bispo. E pelo bispo. Para os fiéis e os não-fiéis. Para quem vê nele a consagração da obra de Deus ou para quem ele não merece nenhum respeito.

Há mais de um ano, começaram as primeiras entrevistas. Estivemos lado a lado com Edir Macedo por meses. Logo de imediato, chamou nossa atenção a maneira desmedida com que falava sobre qualquer assunto: acusações de estelionato, charlatanismo, exploração de miseráveis, Igreja Católica, Rede Globo, prisão, ligações com presidentes da República, compra da Record, chute na santa, corrupção de dissidentes da Universal, desafetos. Enfim,

CHRISTINA LEMOS E O CORETO
Reportagem voltou às origens da Universal

todo e qualquer assunto que perguntássemos era respondido. Sem amarras. Sem nuances. Segredos guardados por anos, décadas. Confidências. Revelações exclusivas sobre a Universal e a Record. Relatos que ajudam a enxergar melhor o país em que vivemos nos últimos trinta anos.

Nas mais de setenta horas de gravações de conversas, o que mais sobressai, no entanto, é o pastor. Desde métodos doutrinários controversos, como o exorcismo e a coleta de dízimos e ofertas, passando pela disciplina rígida com que comanda a igreja, Edir Macedo discorre sobre os alicerces em que criou a Universal. E mais: não se abstém de falar de sexo, camisinha, celibato, drogas, casamento, aborto ou outro tema mais espinhoso. Para os poucos a quem permite intimidade, essas posições, algumas com viés extremamente ousado, podem parecer repetitivas. Não é nosso caso. O conteúdo da fala enérgica mas incrivelmente pontuada de Edir Macedo provoca reações de estupefação em quem a escuta pela primeira vez.

Como já foi dito aqui, no início ficamos apreensivos sobre se conseguiríamos realizar com êxito a tarefa que nos foi encomendada. Tínhamos como parâmetro nosso rigor profissional, mas sabíamos do passado de preconceitos contra os evangélicos brasileiros. Preconceitos que, em algumas camadas da população, ainda duram até hoje. Em um momento importantíssimo de sua vida, Edir Macedo conta que foi achincalhado pelos colegas de trabalho quando revelou sua conversão. Mesmo nos dias atuais, isso não soa como algo irreal. Pelo contrário.

Por isso, escrevemos este livro caminhando sobre uma espécie de fio da navalha. Tentando eliminar do texto qualquer agressão aos preceitos religiosos dos membros da Igreja Universal, mas ao mesmo tempo preservando com total precisão o que nos foi relatado. Uma linha tênue que separa o respeito à crença dos fiéis da necessidade jornalística de perguntar o que todos gostariam de saber da vida desse homem tão controvertido. Assumimos esse compromisso com o bispo Edir Macedo e com outros 149 entrevistados nos últimos catorze meses, em treze cidades de sete países. Um compromisso, sobretudo, com o leitor.

A você cabe o julgamento.

O PRISIONEIRO – HOJE

DE VOLTA PARA TRÁS DAS GRADES

A história de Edir Macedo Bezerra, o bispo, começa na prisão.

Quinta-feira, 24 de maio de 2007. Nesse mesmo dia, há exatos quinze anos, o bispo Macedo iniciava a maior penitência de sua vida. Atrás das grades, no chão de uma cela espremida e malcheirosa, surgia o líder máximo da Igreja Universal do Reino de Deus e da Rede Record de Televisão.

Uma década e meia depois, voltar à cadeia é um desafio. Edir aceita o convite a pedido dos autores deste livro. Após meses de gravação de depoimentos, de minucioso levantamento de arquivos pessoais e de documentos inéditos, da revelação de cicatrizes e memórias nunca antes conhecidas, chegou a hora da entrevista mais dura. Se não a mais importante, a mais carregada de lembranças amargas entre as que se resumiram nas 276 páginas deste livro.

O dia está escuro. Nuvens cinzentas escondem o sol. O encontro é na avenida João Dias, em Santo Amaro, no templo mais conhecido da Igreja Universal em São Paulo – e também um dos lugares onde Edir Macedo se hospeda no Brasil. O local se chama Catedral da Fé. Na manhã gelada, com vento de secar a pele, somos recebidos para um ligeiro café-da-manhã.

Edir parece alegre, descontraído. Antes da refeição, o bispo reza.

A seu lado o tempo todo, Ester Eunice Rangel Bezerra, com quem é casado há 35 anos, e Romualdo Panceiro Silva, bispo e seu assessor direto que comanda a igreja em todo o país.

Ainda na mesa, com uma xícara de café forte na mão, é o momento de encarar o calendário. E de enfrentar o passado.

– Eu não olho para trás. Odeio carregar peso do que já passou. Somente algumas coisas ficam marcadas como lição para a vida que segue – diz Edir, instantes depois de oferecer pão e torrada.

Como hoje, Ester estava ao lado do marido há quinze anos. No momento da prisão, sentava no banco de passageiro do carro guiado por Edir Macedo. Provocamos a lembrança no casal.

– Foi tão marcante que parece ter acontecido ontem – afirma a esposa.

– Foi como um ataque cardíaco. De repente, o terror. Comecei a viver um pedaço do inferno – define o bispo, sucintamente, ao tomar a palavra.

Hora de partir. Descemos pelo elevador da cobertura de um dos prédios anexos ao templo. Edir veio ao Brasil especialmente para relembrar esse dia. Interrompeu sua atribulada agenda de viagens para romper o silêncio de mais de uma década.

O carro deixa Santo Amaro, mesmo bairro do qual o bispo Macedo partiu para a prisão. Ele saía de um culto com a família quando foi cercado por dezenas de policiais com armamento pesado. Mas esse episódio, com bastidores intrigantes até hoje não revelados, será contado em detalhes no capítulo "Mãos ao alto".

Somos seguidos de perto por escolta particular. Seguranças com treinamento especial cuidam da proteção do bispo 24 horas. O destino é a delegacia de Vila Leopoldina, do outro lado da cidade. Foi para lá que Edir Macedo acabou levado, sozinho, naquele 24 de maio de 1992. Edir e Ester seguem no banco de trás rememorando detalhes da data, mas atentos ao caminho.

– Estamos perto da Marginal? – pergunta Ester, olhos curiosos no quarteirão de indústrias desativadas da região.

– Não tenho idéia, Ester – responde o marido. – Em São Paulo, conheço apenas o caminho da igreja e o de casa.

Edir Macedo veste jaqueta de couro marrom-clara e uma discreta malha de lã azul. Diferente do traje social, seu uniforme de trabalho. Ele acredita que a roupa bem alinhada compõe a imagem de credibilidade do pastor evangélico. Ester veste calça escura e camisa branca, um leve toque de maquiagem.

NA DELEGACIA
– De repente, comecei a viver um pedaço do inferno

O endereço é o mesmo: avenida Doutor Gastão Vidigal, 307. A carceragem é modesta, pequena, pouco mudou em quinze anos. A pintura um tanto arranhada, a mobília confusa, o entra-e-sai de sempre. A mesa do investigador, o balcão do boletim de ocorrência, a sala do delegado titular. No corredor dos presos, as mesmas quatro celas. Duas dúzias de homens esperam por transferência atrás das grades em Vila Leopoldina.

A entrevista com o bispo Edir Macedo será exatamente na carceragem em que ele ficou detido por onze dias. Simpático, cumprimenta todos. Também estão presentes outros jornalistas e repórteres cinematográficos da Rede Record, que preparavam um documentário sobre a data.

– É, foi aqui... quinze anos. Foram onze dias de dor, onze dias de tormento, onze dias de desespero. Onze dias de revolta... revolta – reflete Edir, em pé, olhar fixo na inscrição 91º DP em preto e branco. – A injustiça é um castigo que marca a alma do homem.

Injustiça? Edir recorre aos advogados para definir o que fizeram contra ele. Sua junta de defensores conta ter inocentado o bispo Macedo de todos os inquéritos criminais daquela época.

Lento, observador, ele atravessa a lateral da delegacia.

O bispo, que não gosta de carregar o peso do passado, arrasta lembranças.

– Eu cheguei a este lugar já de noite. Depois que desci da viatura, entrei na delegacia cercado por dois agentes armados. Tudo às pressas – lembra ele, passos vagarosos, de braços dados com Ester. – Estamos reproduzindo o mesmo caminho que eu fiz há quinze anos, só que numa situação bem mais tranqüila. Daqui fui levado até a última porta à esquerda.

Caminhamos mais alguns metros. O bispo Macedo parece recordar como se fosse algo próximo, de dias atrás.

– É aqui. Eu me lembro bem deste portão de ferro. Aqui começa o corredor das celas.

UM REGISTRO HISTÓRICO

O delegado que autorizou a entrevista apressa a entrada. Um dos agentes abre a carceragem. A pintura branca com toques de laranja é recente, diferente daquele período. Não há janelas, sol, luz. O ar é sufocante. O cheiro incomoda. Uma combinação de suor, urina, fezes, comida estragando.

Não somos autorizados a entrar na cela por motivos de segurança.

Edir Macedo está a quatro passos do lugar onde ficou preso.

– A cor mudou. Fizeram uma reforma aqui. Não tinha essa parede. Foi ali no chão que eu dormi – diz, apontando para o centro da cela. – Não tinha cama. Não tinha lugar para mim. Quando cheguei, estava cheia, lotada. Tinha mais de vinte pessoas.

O bispo se aproxima da grade de ferro.

Mais lembranças. A riqueza de detalhes surpreende.

– Todas as camas estavam ocupadas. Ali, naquele canto, e ali, perto da parede, também. Tinha um banheiro do outro lado. Quando cheguei, o chefe dos presos logo me recebeu e disse: "Você entra no banheiro por esta porta e lava a mão neste lugar antes de puxar a descarga" – relembra, gesticulando o tempo todo. – Os detentos me receberam bem, me reconheceram assim que cheguei. Alguns me disseram: "Olha, só não tem lugar para o senhor dormir". Então o chefe dos presos me pediu para esticar o colchonete no chão mesmo, no corredor da cela.

Edir diz que não jantou. Deitou sozinho no piso, entre duas beliches ocupadas por outros detentos. A cadeia era para presos com curso superior – determinação da lei que prevê cela especial para diplomados, padres e demais ministros religiosos. O sono demorou. Passou a madrugada sendo acordado pelos presos que pisavam no seu colchão para ir ao banheiro.

– É um choque muito grande, uma agressão violenta. Só quem já ficou atrás das grades pode explicar o que exatamente significa – define, num tom mais reflexivo. – Foi uma grande lição na vida, transformar as adversidades, como eles me diziam, fazer do limão uma limonada.

Em pé, frente a frente com a cela, as memórias remoídas. Impossível não lembrar o primeiro pensamento de alguém atrás das grades.

Edir Macedo volta à infância.

– Eu fui criado com sete irmãos numa educação muito rígida. Meu pai era agressivo, bruto, e às vezes nos batia. Mas sempre achei que pior mesmo era receber o castigo de não poder sair de casa. Era terrível, machucava mais do que levar uma surra. Eu pensava assim quando era criança. Agora imagine, depois de velho, casado, pai de três filhos, avô de um neto, ficar de castigo onze dias numa prisão. Imagine o que eu senti – voz altiva, braços cruzados. – Estava cheio de indignação, mas em paz comigo mesmo.

Não entendemos a conciliação desses dois sentimentos. Edir Macedo conta que tinha o controle de suas próprias reações, mas ao mesmo tempo descreve a prisão como um grande trauma. Queremos entender melhor.

– Eu estava espiritualmente em paz, mas emocionalmente abalado. Uma coisa é o espírito, outra é a alma. A alma estava agredida pela violência, pela sensação de sofrer injustiça. O espírito estava tranqüilo pela crença que carrego dentro de mim. Eu tinha total autocontrole. Eu não seria capaz de fazer uma bobagem, de tomar qualquer atitude impensada. Tinha muita raiva, sim, me sentia vítima de um complô, mas estava confortado no meu interior.

Também no íntimo será que o bispo Macedo pensou que sua igreja pudesse desaparecer? Imaginou em algum momento, nos onze dias de cadeia, que sua carreira de líder religioso estava ameaçada?

– Nunca. Pelo contrário. Eu sabia que a prisão me traria enormes benefícios. Sabe por quê? Porque eu era a vítima, e a vítima sempre ganha. Nunca o algoz. Eu tinha certeza de que o trabalho se desenvolveria ainda mais, não apenas no Brasil, mas em todo o mundo. É a recompensa do sacrifício.

COM ESTER, A LEMBRANÇA
– O chefe dos presos disse: "Lava a mão antes de puxar a descarga"

O sentimento de que fora vítima foi compreendido pelos fiéis da Universal, avalia Edir Macedo.

– A minha prisão ajudou o povo a entender suas lutas. Jesus sofreu injustiça, foi preso também. Os membros da Igreja compreenderam que as injustiças só fazem bem para a fé. É a garantia de vencer lá na frente – afirma, com ênfase semelhante a seus discursos no púlpito. – Fui preso por qual motivo? O que eu tinha feito? Eu roubei? Eu matei? O que eu fiz? Eu acusei, machuquei, agredi alguém? Ofendi alguém? Não, eu não fiz nada disso. Fui preso por qual motivo?

Perguntamos se o bispo Macedo sabia dos crimes dos quais tinha sido acusado.

– Só soube na primeira conversa com meus advogados. Até então não tinham sequer me mostrado a ordem de prisão. Fui acusado de charlatanismo, curandeirismo... – diz, fazendo uma pequena pausa em seguida. – Charlatão? Curandeiro? Por quê? Porque prego o poder da oração pela fé? Porque prego o que a Bíblia ensina?

Interrompemos o bispo. Lembramos que o Ministério Público também o denunciou por estelionato.

– Por quê? A quem eu enganei? A quem eu ultrajei? A quem eu roubei? A quem eu fiz mal? A pergunta é essa: a quem eu fiz mal? Quem foi prejudicado pelo meu trabalho? Quem? – questiona, já com a respiração nervosa.

O bispo Macedo pede água. E, enfático, continua o depoimento.

– A Igreja Universal tem a mesma doutrina há trinta anos, e ela só cresce em todo o mundo. E por que cresce? Porque as pessoas estão sendo enganadas? Estão sendo vítimas de estelionato? A Igreja cresce em países desenvolvidos e não sofre preconceito como em nosso país.

Interrompemos novamente. Afirmamos que a Igreja Universal já sofreu vários processos na Espanha, por exemplo, onde está instalada há quinze anos.

– Mas lá é um dos pilares da Igreja Católica, berço do Opus Dei e da Ordem dos Jesuítas. A Igreja desenvolve o mesmo trabalho livremente e com sucesso na Inglaterra, na Alemanha, nos Estados Unidos e até no Japão, e nunca enfrentamos nenhum problema. Por que só no Brasil somos vítimas de tantos ataques?

A conversa pára por um instante. Edir Macedo reclama do cheiro de cigarro dentro da carceragem. Embora tenha experimentado tabaco apenas três vezes na adolescência, seu faro não falha.

– Tem gente fumando aí. Eu não agüento cigarro – esbraveja, abanando o ar com as mãos.

Não há o que fazer. Detentos soltam fumaça no fundo do corredor. O bispo retoma a palavra rapidamente.

– Sabe, eu prezo a justiça. Sem justiça não há ordem, não há sociedade, não há país. Deus é amor, mas antes de tudo é justiça. Antes de ser amor, Ele é justiça – segue a meditação.

Em seguida, dispara novamente.

– Você quer saber a verdade? Eles deram vários tiros no pé. A situação se reverteu a meu favor, para frustração de meus inimigos.

Inimigos?

– Eu tinha e tenho muitos inimigos.

Quem eram e quem são esses inimigos?

– Quem eram? O clero católico, a Rede Globo e gente poderosa usada por eles. Eu até entendo tantos ataques, realmente há motivos para isso. A Igreja Universal incomoda, a Record incomoda. Nós assustamos. Nosso crescimento assustou muita gente na época da minha prisão e continua assustando até hoje.

Edir deixa a carceragem. Andamos calmamente em direção ao carro. Na porta do distrito policial, policiais e funcionários observam intrigados. Quem passa pela calçada pára por alguns minutos para tentar saber quem está provocando o pequeno tumulto.

O bispo Macedo aponta para a porta pela qual ganhou a liberdade no distrito de Vila Leopoldina. Pedimos para descrever essa sensação.

– Vocês não podem imaginar. Embora as luzes das câmeras dos repórteres atrapalhassem minha visão, vi as pessoas da igreja. Vi o povo e os pastores alegres, fazendo algazarra, festejando. Foi emocionante, não dá para esquecer.

Foram quase duas horas de entrevista na exata data em que a prisão de Edir Macedo completou quinze anos. Um registro jornalístico histórico.

É quase hora do almoço. Na volta para casa, já dentro do carro, um instante intimista. Ele nos chama mais para perto e escora a mão direita em nosso ombro. Quase sussurrando, diz:

– Quer saber qual é o caminho? Em nenhum momento eu penso negativo. Podem falar bem ou falar mal, sempre parto para cima. Sou idealista. É assim que lidero a igreja, a Record e todos os meus projetos.

Vamos conhecer o "idealista" Edir Macedo, mas antes é preciso voltar à sua prisão. É preciso voltar a outro 24 de maio: a 24 de maio de 1992, mais precisamente à 1h30 da tarde. O bispo Macedo é detido pela polícia, repentinamente, em um cenário cercado de mistérios até hoje pouco esclarecidos.

O PRISIONEIRO – ONTEM

MÃOS AO ALTO

— Edir, você passou o farol vermelho? – pergunta, afoita, Ester.

Na imagem do retrovisor do antigo BMW preto, o motivo da dúvida: viaturas da polícia em arrancada, algumas em ziguezague, sirenes ligadas. O carro é cercado por um aparato policial. Cinco delegados e treze agentes civis e federais. Coletes à prova de bala, rádios e capuzes. Nas mãos, escopetas, metralhadoras e revólveres.

Edir Macedo, sua mulher, a filha Viviane Rangel Bezerra e uma amiga da família deixavam o culto de uma Igreja Universal em Santo Amaro, bem próximo à atual Catedral da Fé, que ainda não existia naquela época. A 200 metros do templo, na rua São Benedito, a cena de cinema.

– Pararam nosso carro e saltaram com armas em punho – conta Ester.

– O bispo! O bispo! – gritou um dos delegados.

Edir Macedo recebe voz de prisão. Desce do BMW com as mãos erguidas. A Bíblia no banco de trás, ao lado da filha. O bispo é arrastado para uma das viaturas. Não há resistência.

– Eu achava que fosse um seqüestro. Foi uma cena terrível! O pastor Laprovita Vieira vinha no carro de trás e tentou evitar que o levassem. Até mostrou a carteira de deputado federal. Os policiais empurraram a carteira, jogaram meu marido dentro de um dos carros e saíram em alta velocidade – relembra Ester.

– As pernas ficam bambas. O coração dispara. A gente perde a noção das coisas. Eu fui detido como se fosse um delinqüente perigoso – acusa Edir.

Colocado no banco de trás do camburão, apertado entre dois agentes armados, o bispo seguiu calado.

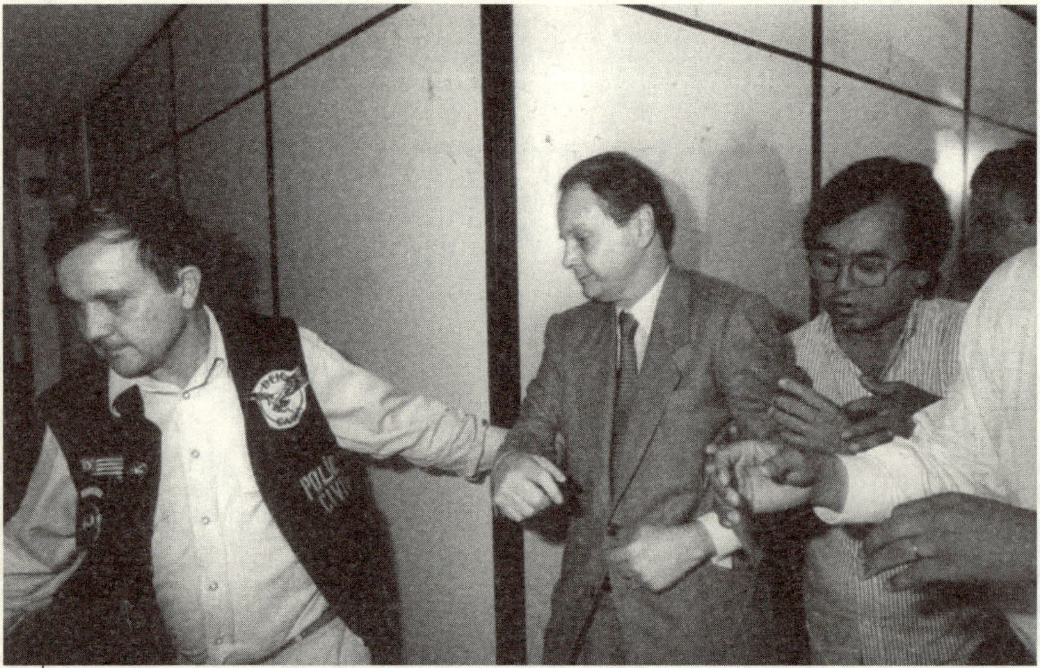

FLAGRANTE
Policiais de São Paulo levam Edir Macedo para a prisão

– Foi um risco grande. Os policiais estavam muito nervosos, desequilibrados, com adrenalina fora de controle, o que poderia provocar uma desgraça – recorda. – Eu não vi nada dentro da viatura. O motorista corria muito, virava nas curvas com velocidade, de forma perigosa. Só conseguia sentir indignação. Pensava onde a minha família estaria naquele momento.

Na rua São Benedito, mais nervosismo. Ester se dividia entre o desespero por não saber o destino do marido e o medo pela reação da filha.

– Saltei do carro e comecei a gritar: "Meu pai! Meu pai! Pelo amor de Deus, levaram meu pai!" – conta Viviane, na época com 17 anos.

Incapaz de qualquer ação, Ester ligou para Honorilton Gonçalves, um dos integrantes mais antigos da Igreja e amigo próximo de Edir Macedo. Chorando, pediu socorro.

– Tentei acalmar a Ester. Ela estava aflita. A violência da polícia aterrorizou todo mundo. Disse que iria encontrar o bispo, para ficar tranqüila, que tudo iria dar certo. Não sabia o que tinha acontecido, passavam várias situações pela minha cabeça – recorda Gonçalves.

No dia seguinte, o governador de São Paulo à época, Luiz Antônio Fleury Filho, desqualificou a operação da polícia. E admitiu os abusos:

– O espetáculo que se viu no momento da prisão não é aconselhável para ninguém. É altamente constrangedor, até porque o bispo não foi condenado. Não entro no mérito das razões que o levaram à prisão, mas a forma foi exagerada.

Era para ser pior. Somente agora, quinze anos depois, o delegado Marco Antônio Ribeiro de Campos, que comandou a operação, faz uma revelação surpreendente: a ordem de prisão deveria ser cumprida dentro do templo da Igreja Universal em que o bispo realizou culto na manhã daquele domingo. Era o endereço determinado no documento emitido pela Justiça.

Não é difícil imaginar os contornos da tragédia se os cinco delegados e os treze policiais invadissem o templo para prender Edir em cima do altar. Como controlar o ímpeto de 1.500 fiéis que lotavam a igreja naquele dia? As conseqüências, certamente, seriam maiores.

A decisão do delegado de não prender o bispo no altar, para evitar a reação dos fiéis, não tirou o estardalhaço do episódio. Nem era o objetivo. Ao deixar a rua São Benedito, sem saber para onde era levado, o bispo Macedo passou pelo Departamento Estadual de Investigações Criminais, o Deic, e, horas depois, acabou transferido para a delegacia de Vila Leopoldina.

Ao chegar às duas bases da polícia, uma estranheza. A TV Globo já estava lá. Era o único veículo de imprensa a mostrar Edir Macedo sendo preso. As imagens foram ao ar no *Fantástico* do mesmo dia, que teve a seguinte manchete na voz da atriz Carolina Ferraz, então apresentadora do programa:

– O criador da Igreja Universal do Reino de Deus está na cadeia! O bispo Edir Macedo foi acusado de estelionato e charlatanismo.

Pela primeira vez, em meses de crise política, o governo Fernando Collor de Mello dividia a principal notícia do dia. Mesmo enrascado em uma teia de acusações de corrupção, o assunto do dia seguinte, segunda-feira, era Edir Macedo – e seria pelos dez dias seguintes.

Brasília estava em polvorosa. Maio de 1992 marcou o ápice da crise do governo Collor. No exato dia da prisão de Edir Macedo, foi às bancas a edição da revista *Veja* em que Pedro Collor, irmão do presidente, acusava Paulo César Farias, o PC Farias, de articular um espantoso esquema de corrupção dentro do Planalto, com a conivência do primeiro mandatário da República. As denúncias ainda repercutiam e sinalizavam um futuro nebuloso na capital do país. Seguiu-se, então, um processo de investigação em que o Congresso Nacional e a mídia mobilizaram a opinião pública pela apuração completa dos fatos.

DENÚNCIAS
Escândalo Collor estourou no exato dia da prisão: 24 de maio de 1992

Mas na segunda-feira, 25 de maio, a manchete era a prisão do bispo Macedo. A partir dali, segundo o especialista em comunicação Gabriel Priolli, da Pontifícia Univercidade Católica de São Paulo, a TV Globo adotaria uma linha editorial contrária a Edir, à Igreja Universal e às demais igrejas evangélicas. Uma batalha acirrada desde a compra da Rede Record pelo bispo, em novembro de 1989.

Para quem viveu aquele período de perto, a aquisição da Record seria outro motivo obscuro da prisão de Edir. Naquele tempo, a concessão da emissora ainda não havia sido autorizada pela então Secretaria das Comunicações, o que viria a acontecer somente no final de 1992. A concessão é o direito que o governo dá para a operação de um canal de televisão, que, segundo a lei, é de controle do Estado.

O epicentro do impasse é que havia uma guerra velada entre grupos poderosos pelo controle da Record, alguns até com apoio do alto escalão do Planalto. Hoje, em entrevista sobre o assunto, o ex-presidente Fernando Collor de Mello admite a existência de "pressões" para tirar a Record do verdadeiro dono.

– Havia uma forte carga de preconceito contra o bispo Macedo. Lembro que havia uma disputa entre vários grupos pela concessão da Record. Houve pressão, sim, mas é natural quando há uma concorrência desse tipo – afirma Collor.

Mas não havia concorrência. Edir Macedo havia comprado a emissora do apresentador e empresário Silvio Santos e da família Machado de Carvalho e reunia os requisitos para ganhar a concessão. A documentação e os processos burocráticos estavam em dia. Edir Macedo na prisão era sinônimo de caminho aberto para quem ambicionava tomar a Record.

PADRE NO INTERROGATÓRIO

Os interessados subiam a rampa do Planalto numa busca persistente. Na maioria das vezes, tinham como interlocutor um dos homens fortes do governo Collor, que até hoje se manteve em silêncio: o ex-ministro João Eduardo Cerdeira de Santana. Durante onze meses, foi ele quem comandou o Ministério da Infra-Estrutura – uma pasta polpuda, criada para englobar os setores de Comunicações, Transportes e Minas e Energia do país.

Localizamos o ex-ministro em um escritório de advocacia em São Paulo. Aos 50 anos, após longa fase de ostracismo político, o advogado revela:

– Dar a concessão de um canal de tevê para o bispo, por tudo o que ele representava, incomodava muita gente. E os incomodados estavam por todos os lados. As influências para impedir a transferência do direito a Edir Macedo ocorreram durante todo o processo.

O ex-ministro Santana cita nomes de empresários e grupos de comunicação. Mas esse episódio da trajetória do bispo Macedo será mais bem compreendido logo adiante.

Ainda no domingo da prisão, ao cair da noite, Ester localizou o marido Edir com o auxílio de Honorilton Gonçalves. Para agravar a situação, o então advogado da igreja, Campos Machado, o mesmo que se elegeu deputado estadual em São Paulo, estava em viagem.

– De imediato fui à cadeia encontrar Edir. Ele estava calmo. Chorei muito ao vê-lo injustamente preso – conta, sensibilizada, Ester.

– Encontrar minha esposa no domingo me deu forças para suportar a prisão – afirma Edir. – Ester estava muito abatida.

Naquela noite, Ester e a filha Viviane passaram a noite sozinhas em casa. Abraçadas no quarto, choraram até de manhã. Hoje, as duas se emocionam ao relembrar aquela madrugada.

– É só começar a lembrar que logo vêm as lágrimas. Não dá para segurar – diz Viviane.

O mandado de prisão do bispo tinha sido expedido dois dias antes. Quem assinou o documento foi o juiz paulista Carlos Henrique Abraão, então um jovem magistrado de 31 anos. Abraão cobria férias de trinta dias da juíza titular da 21ª Vara Criminal de São Paulo quando decidiu expedir a ordem de prisão.

Edir Macedo não tinha antecedentes criminais, comparecia a todos os interrogatórios e tinha residência fixa. Mesmo assim foi detido sob as acusações de estelionato, charlatanismo e curandeirismo, com as justificativas de que era necessário prosseguir a investigação e de que poderia fugir do país.

– Eu notei que nos autos existiam fortes elementos para as denúncias de lavagem cerebral e manipulação de fiéis – afirma o juiz, em entrevista para este livro-reportagem. – Fui cobrir a ausência da juíza titular e decidi prender Edir Macedo. Depois que acabou minha designação, ela retomou o processo, que pouco depois acabou transferido para outro juiz.

Passado o curto período de férias, Abraão foi enviado de volta à antiga jurisdição.

No dia seguinte à prisão, a imprensa publicava os motivos da ordem judicial. O jornal *O Estado de S. Paulo*, por exemplo, foi incisivo: "O juiz determinou que, em liberdade, Macedo poderia intimidar testemunhas, além de cometer 'crimes continuados' com o uso de publicidade enganosa para levar pessoas ao fanatismo". Na foto, de terno cinza e gravata vermelha, Edir aparece escoltado por três policiais civis.

– Já preso, uma das primeiras coisas que Edir me pediu foi a Bíblia – lembra Ester.

A calma da primeira noite no distrito de Vila Leopoldina não se repetiria nos próximos dias. Na segunda, a delegacia amanheceu agitada. Dentro, a surpresa dos detentos com o novo companheiro de cela. Fora, a curiosidade da imprensa do Brasil inteiro, que montava acampamento para cobrir o caso em meio às graves acusações contra o presidente Fernando Collor de Mello.

– Fui destacada para fazer a cobertura pela TV Record. Enquanto recebi orientação de mostrar a defesa do bispo, com base na lei, alguns colegas de veículos concorrentes tinham ordens explícitas para carregar no tom das denúncias. Era o que se dizia, claramente, por trás da cobertura oficial – lembra a jornalista Maria Paula Bexiga, há dezesseis anos funcionária da Record, que acompanhou, passo a passo, os onze dias da permanência do bispo Macedo na carceragem, com acesso exclusivo aos bastidores.

Na segunda, logo pela manhã, Edir recebeu a visita de parentes e companheiros da igreja. A partir dali, a esposa Ester estaria presente todos os dias. O bispo também passou a ganhar a amizade dos demais presos. Eram 22 pessoas, entre advogados, médicos, juízes, empresários e até políticos.

O responsável pela guarda de Edir foi o delegado Darci Sassi, titular do distrito de Vila Leopoldina em 1992 e que atualmente cumpre funções burocráticas na Polícia Civil.

– O bispo chegou escoltado por dois investigadores. Era natural encontrar uma pessoa revoltada, como geralmente ocorre com todos os presos. Mas não. A atitude do bispo impressionou todos. Quando o encontrei pela primeira vez, ele ouviu as regras da cadeia e abaixou a cabeça. Depois, eu quis me compadecer, disse que a Justiça era assim mesmo, que a justiça dos homens nem sempre funcionava. Ele me olhou bem fundo e disse: "Não, doutor, se tenho de passar por isso, eu vou passar. E vou passar de cabeça erguida porque tenho fé em Deus" – lembra o delegado.

O bispo Macedo tentou fazer da delegacia uma extensão da igreja. No intervalo das visitas, consumia as horas em discretas rezas e na incansável leitura da Bíblia. Sempre sereno, concentrado, pensativo.

Em pé ou sentado, parado na cela ou caminhando em vaivéns no corredor da carceragem, não desgrudava um instante da Bíblia. Um dos detentos daquela época, o ex-vereador Osvaldo Serva, chegou a declarar à imprensa que a convivência com Edir Macedo foi harmoniosa.

– O comportamento do bispo conquistou os detentos e os policiais da delegacia. Por incrível que pareça, foram os onze dias mais pacíficos que vivi em Vila Leopoldina. Embora houvesse todo aquele tumulto em torno da prisão, o clima era de paz – afirma o delegado Sassi.

Uma das poucas imagens de Edir atrás das grades ganhou as capas dos jornais de todo o país. O flagrante de um dos seus momentos de meditação virou símbolo daquele período. Sentado nos fundos da cela, óculos no rosto e a Bíblia nas mãos, apoiada sobre as pernas cruzadas. Vestia camisa branca de mangas curtas e calça social cinza, entregues dias depois pela esposa junto com um punhado de roupas.

A serenidade registrada pela fotografia traduzia a conduta do preso Edir. Paciente, atendia aos repórteres com amabilidade. Recorria sempre às suas convicções religiosas para dar entrevistas. Foi assim na primeira declaração depois de encarcerado.

– Eu sinto o batismo de fogo. Eu não mereço, mas me sinto como um apóstolo, porque estou sentindo o que eles sentiram naquela época. Paradoxalmente, isso é um privilégio: sofrer como eles sofreram por uma causa e por um Senhor que nós abraçamos de todo coração.

O bispo Macedo parecia cansado, mas seguiu o depoimento:

– No momento a gente pode até nem entender a situação, mas tenho certeza de que isso é para o bem; para o bem da Igreja, para o bem da obra que nós abraçamos, é para o bem da fé de todos nós, é para o bem da obra de Deus.

A declaração foi exibida para todo o Brasil pela Record. E gerou uma inesperada corrente de solidariedade. A reação ao que muitos consideravam um ato arbitrário espalhou-se pelo país: autoridades, políticos, personalidades e até líderes de outras religiões recriminaram a prisão de Edir.

Uma das declarações mais indignadas foi a do então presidente do Partido dos Trabalhadores, Luiz Inácio Lula da Silva, hoje presidente da República. Lula tinha recente na memória a experiência de ter sido alvo de manipulações do jogo político. Havia sido derrotado por Collor na disputa presidencial de 1989, eleição marcada por uma edição induzida da Globo no último debate

HOLOFOTE
37 dias antes de ser preso, Edir Macedo lotou o Maracanã

antes do segundo turno de votação. Lula criticou o preconceito religioso por trás da detenção:

– Acho um absurdo a prisão sob o argumento de que o bispo está enganando as pessoas com sua religião. As pessoas têm fé naquilo que querem ter fé. Eu estou convencido de que, se a gente não tomar cuidado neste país, daqui a pouco a polícia entrará em sua casa e prenderá qualquer um, sem nenhum critério.

Lula falou mais. Atacou duramente a decisão do Judiciário e citou uma gigantesca concentração religiosa organizada por Edir no Estádio do Maracanã, que havia reunido mais de 200 mil pessoas, 37 dias antes da prisão.

– Precisamos discutir o critério pelo qual o juiz julga o charlatanismo. A Igreja Universal do Reino de Deus consegue lotar o Maracanã e isso é visto por alguns religiosos ou pela polícia como charlatanismo. O bispo dizia: "E as pessoas que fazem romaria, as pessoas que acreditam em outro tipo de santo, também não estão sendo vítimas de charlatanismo?". Para que as pessoas sejam presas, é preciso a apuração total da responsabilidade e do crime cometido. Fora disso, acho que todos os brasileiros têm o direito de esperar seu processo em liberdade.

Políticos de lados opostos uniram-se na crítica à decisão da Justiça. Aloísio Nunes Ferreira, então deputado federal pelo PSDB, também visitou a cadeia de Vila Leopoldina:

– É pura violência, pura perseguição. Tem meu maior repúdio.

Edson Arantes do Nascimento, o Pelé, veio a público demonstrar sua indignação:

LULA NA TEVÊ
Líder político na época questionou acusação de charlatanismo

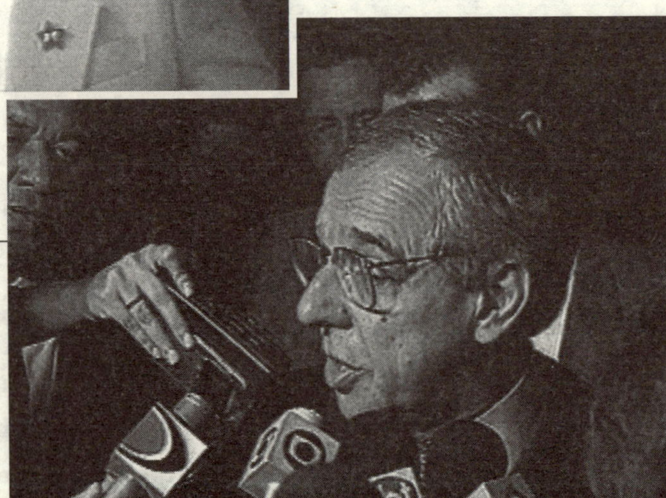

O ADVOGADO
Ex-ministro da Justiça Thomaz Bastos derrubou prisão preventiva

– Desde que nós temos livre-arbítrio, a liberdade deixada por Deus, é importante que a própria pessoa escolha o que quer seguir. Não é a lei que vai determinar o que fazer.

Para anônimos próximos ao bispo Macedo, porém, a dor foi maior. Pastores e integrantes da Igreja Universal eram ridicularizados no dia-a-dia. Para a família, foi o momento de maior angústia. A mãe de Edir, Eugênia, viajou do Rio de Janeiro para São Paulo e acampou na igreja, pedindo a volta do filho.

– Durante os dias em que ele esteve na cadeia, minha mãe chorava. Vinha aquele monte de jornalistas para cima de nós. Éramos as primeiras a chegar e as últimas a sair da igreja. Foram dias tenebrosos – lembra Eris Bezerra Crivella, irmã do bispo Macedo e mãe do senador Marcelo Crivella.

– Quando mamãe chegava à cadeia, chorava sem parar. Eu acabava consolando ela. Uma mulher de idade, uma senhora que vivia uma situação delicadíssima – conta Edir, cabisbaixo.

Nos últimos dias de maio, os advogados se esforçaram para libertar Edir Macedo. No dia seguinte à prisão, já havia sido impetrado um pedido de *habeas corpus*. A defesa alegava que a cadeia era uma medida "violenta e inconstitucional, sem nenhuma justificativa, mesmo porque, se o bispo for condenado, terá direito a prisão domiciliar, pois é primário e tem bons antecedentes".

O juiz Henrique Abraão defendeu a prisão preventiva com os argumentos de que era necessário "garantir a ordem pública e a normalidade da instrução criminal e para a defesa dos interesses da sociedade". Em seu despacho, o juiz fez uma conclusão considerada na época bastante controversa: "Convenço-me sobre os nefastos e malsinados efeitos que redundam na eventual liberdade do agente, propagando-se a doutrina e contando com a colaboração de massas enfileiradas de pessoas incautas e incultas, com o propósito notadamente mercantilista".

Os advogados de Edir se indignaram. Em resposta ao despacho, acusaram o juiz de preconceito religioso: "'Nefasta e malsinada' é pura questão opinativa, pois assim não pensam milhares de fiéis que correm aos templos e aos estádios para ouvir sua pregação".

O primeiro pedido de libertação de Edir Macedo foi negado.

A decisão contrária, de desesperança para quem torcia pelo bispo, reverteu-se nas ruas. Multiplicavam-se os brasileiros solidários a Edir. Mesmo os que criticavam a Igreja Universal passaram a defender a liberdade do bispo. Pastores e fiéis da igreja mobilizaram-se de norte a sul do Brasil. Evangélicos de diversas denominações iniciaram manifestações de protesto. Centenas de pessoas passaram a fazer vigília na porta da delegacia de Vila Leopoldina.

A esposa Ester, diariamente na prisão, acompanhou tudo bem de perto:

– As pessoas perceberam que havia sido uma arbitrariedade. Muitos deixaram de nos criticar e mudaram a forma de nos ver. Passaram até a gostar da gente.

Na primeira semana da prisão, a delegada de plantão Sílvia Souza Cavalcanti, preocupada com o crescimento de manifestantes, solicitou ao bispo a gravação de uma mensagem de rádio para acalmar os fiéis:

– Só peço às pessoas que fazem parte desta família Universal do Reino de Deus que orem e façam jejum para que venhamos a sair daqui o mais rápido possível. Que Deus, no tempo certo, venha nos livrar e possamos então comungar juntos a fé cristã. Eu quero agradecer o carinho de todos nestes momentos difíceis. Conto com a oração de cada um. Muito obrigado.

Edir recorda aquele momento com clareza.

– O povo da igreja queria invadir a cadeia. Curiosamente, eu, que precisava ser acalmado, tinha a obrigação de acalmar toda aquela gente.

Na primeira semana, Edir Macedo saiu da prisão para prestar depoimento. Colocado no banco de trás da viatura policial, vestia camisa branca e terno azul-marinho. Estava um tanto constrangido, com a Bíblia sempre nas mãos. Já no fórum, diante do juiz Carlos Henrique Abraão, uma cena atípica. Uma revelação guardada por esses anos todos.

– Um padre assistia ao meu interrogatório e fazia anotações. Em todos os meus depoimentos, nunca era permitida a entrada de ninguém, mas naquele dia havia um padre. E, ainda por cima, o juiz me fez uma pergunta pouco importante ao processo: queria saber se, com minha prisão, havia diminuído o número de pessoas na igreja. Não entendi o motivo da pergunta, mas respondi que não. Disse: "Pelo contrário, excelência, aumentou mais ainda" – conta Edir Macedo.

O segundo pedido de liberdade também foi negado.

CAMINHO DA RUA

Nas ruas, as manifestações cresciam. E pressionavam o Judiciário. Com o passar dos dias, era maior a quantidade de pessoas acampadas em frente à delegacia de Vila Leopoldina. Homens, mulheres, jovens e idosos, a maioria fiéis da Igreja Universal, em vigília pela libertação de Edir Macedo. Dia e noite, rezavam por horas seguidas, atitude que sensibilizou até quem tinha a obrigação de manter-se imparcial.

– Olhava pela janela da delegacia e não acreditava. Senhoras, muitas até com saúde frágil, de mãos dadas, rezando horas e horas sem parar. Faziam rodas na calçada, algumas seguravam fotos do bispo Macedo e choravam com sinceridade. Era fácil notar. Qualquer um, independentemente da religião que professasse, se emocionaria com aquelas cenas – recorda o delegado Darci Sassi.

Hoje, ao ouvir as lembranças do delegado Sassi, o bispo Macedo se comove. Em seu silêncio pensativo, percebem-se os olhos marejados.

– Veja como são as pessoas da igreja, gente que acompanha toda a nossa história, gente que nunca vou saber quem é – diz o bispo.

De sol a sol, as imagens se repetiam. Certo dia, uma reação imprevisível parou o trabalho dos policiais e agitou o distrito. Mais de mil pessoas, que protestavam pacificamente na porta da delegacia, abraçaram a cadeia numa enorme corrente de mãos dadas. O pedido era um só: a libertação de Edir Macedo.

– Estava deitado na cama, dentro da cela, quando recebi a notícia. Fiquei comovido com a iniciativa do povo – lembra Edir.

Federal vai pedir hoje a prisão do 'bispo' Macedo

Delegado vai pedir a prisão de Edir Macedo

PF pedirá prisão de Edir Macedo

JUSTIÇA

PF VAI ENQUADRAR EDIR

Condenação prevê 4 anos de cadeia

Bispo Edir Macedo será enquadrado pela Polícia

Procurador apura denúncias contra Edir Macedo

Edir: cercado pelo Fisco.

IGREJA

Edir Macedo é denunciado à Justiça de SP

Da Reportagem Local

NOTICIÁRIO POLICIAL
Jornais especulavam sobre a prisão de Edir Macedo

No dia 1º de junho, outro grande ato em favor do bispo. Aos poucos, centenas de fiéis se aglomeraram em frente ao Palácio 9 de Julho, sede da Assembléia Legislativa do Estado de São Paulo, aos gritos de "Queremos Justiça". Pouco depois, eram 3 mil. Novamente deram-se as mãos, cercaram o prédio do Poder Legislativo paulista, cantaram e oraram. Dentro do prédio, mais de trezentos pastores de 34 igrejas evangélicas pediam que o bispo fosse solto. Todos assinaram um documento exigindo respeito à Constituição brasileira, que garante liberdade religiosa.

A saída de Edir Macedo, no entanto, era sempre obstruída após intensa guerra judicial. Foi então que o advogado criminalista Márcio Thomaz Bastos, ex-ministro da Justiça de Lula, foi contratado como advogado do bispo no processo iniciado pelo Ministério Público. Preço do trabalho: o equivalente a 500 mil dólares. Em sua primeira declaração pública, Thomaz Bastos foi enfático:

– Não existe denúncia em lugar nenhum do mundo. Não há denúncia nenhuma no processo, o inquérito está fora dos cartórios. Ele tem direito de se defender de uma prisão preventiva ilegal. Em um país onde o crime violento aumenta tanto, creio que se dê uma atenção excessiva ao bispo Macedo. Ele vai resistir ao pedido de prisão.

No dia 3 de junho, quarta-feira, o Tribunal de Justiça de São Paulo julgou o terceiro pedido de *habeas corpus* a Edir. No plenário, Thomaz Bastos argumentou que não existia base para manter a detenção. O advogado recorreu a quatro elementos para derrubar a prisão preventiva: o bispo Macedo possuía bons antecedentes, família, residência fixa e não havia se recusado, em nenhum momento, a prestar esclarecimentos sobre as acusações. O discurso durou quinze minutos. A tese da promotoria foi desmontada. Por 3 votos a 0, os desembargadores decidiram, finalmente, pela libertação do bispo.

– Estamos diante de um caso em que vão entrar em jogo princípios extremamente importantes, como a intolerância, o preconceito, o conflito entre as religiões, o princípio da liberdade de culto. Questões fundamentais para que o Brasil construa realmente um regime democrático – declarou Thomaz Bastos, após a vitória.

De imediato a notícia se espalhou pelo país. Às 7 da noite, a rua da delegacia de Vila Leopoldina estava tomada por repórteres, cinegrafistas, fotógrafos, fiéis e curiosos. A ansiedade era grande. Na cela, Edir recolhia roupas e objetos pessoais com o auxílio da esposa. Vestiu terno azul-marinho e camisa branca.

– A sensação era de alívio, justiça, missão cumprida – lembra o bispo.

Na mesma noite, mandou distribuir dezenas de Bíblias na cadeia. Policiais e investigadores do distrito organizaram um corredor humano para a saída do bispo. Edir se despediu dos companheiros de cadeia, agradeceu o convívio daqueles onze dias, cumprimentou um a um. E partiu.

– Foi um tumulto geral. Quase o espremeram na parede, todo mundo queria falar com ele – conta o delegado Sassi, que destaca um detalhe no comportamento de Edir Macedo: – Percebi que o bispo não abaixou a cabeça em momento algum. Nem para entrar nem para sair da cadeia. Estava sempre de cabeça erguida, não parecia demonstrar medo.

Edir saiu apressado, calado, e entrou no mesmo BMW preto do qual fora arrancado para a prisão. Os veículos de imprensa seguiram o bispo. Era hora de ir para casa. Ou melhor, inesperadamente, hora de voltar para a igreja. O destino que o aguardava, antes de ser preso, fora mudado em cima da hora. Após onze dias atrás das grades, decidiu seguir com a família direto ao mesmo templo, em Santo Amaro, de onde havia saído no dia 24 de maio.

Ao entrar, Edir Macedo se emocionou. Mais de 1.500 pessoas lotavam a Universal. Os assentos e corredores tomados, gente do lado de fora. Enfileirados, aglomeravam-se fiéis e pastores, muitos dos que haviam feito dias de vigília na porta da delegacia. Ao surgir no altar, o bispo foi aplaudido de pé.

E, ao microfone do templo, começou um desabafo. Relembrou sua história, falou das dificuldades enfrentadas por ser pastor e deu um testemunho sobre a angústia dos dias na cadeia. Agradeceu o apoio da família, da esposa e de todos que se uniram a ele no momento mais difícil de sua vida. E falou sobre como a fé o ajudou a superar o que considerou uma humilhação.

Edir também rebateu as acusações uma a uma. Todos os veículos de comunicação acompanhavam o discurso, exceto a TV Globo. Em seguida, profissionais de imprensa deixaram a reunião a pedido da direção da igreja.

Veio o momento de intimidade com os fiéis. A reunião só foi interrompida por palmas e abraços trocados entre Edir e a família.

– No final do culto, fui chamada para ir aos fundos do templo. Recebi a informação de que o bispo, apesar de exausto e louco para chegar em casa, ainda daria uma entrevista exclusiva à Record – conta a jornalista Maria Paula.

Era uma sala pequena e improvisada, com duas cadeiras simples.

– O bispo Macedo se apresentou como nos dias anteriores. Eu disse que estava muito feliz com a libertação dele e que, sabendo do cansaço, poderíamos gravar assim que quisesse – lembra.

Antes da entrevista, porém, Edir Macedo solicitou que, em nome dele, a repórter levasse um pedido de desculpas a todos os colegas da TV Record "pela vergonha" que sentiram ao longo da prisão do dono da emissora.

– Não sabia o que dizer. Cheguei a falar que nenhum profissional da Record tinha motivo para sentir vergonha. Mas ele insistiu. Assim que cheguei à redação, transmiti o recado para toda a equipe.

Na entrevista, a última daquela fase, palavras sem rancor:

– Eu creio na justiça dos homens, mas sei que todos falham. O homem falha. É possível que a Justiça falhe também, mas eu confio na nossa Justiça.

Hoje, ao olhar para o passado, Edir faz uma reflexão jamais feita sobre os dias na cadeia.

– A prisão foi um marco na minha vida. Eu não entendi naquele momento, mas foi minha válvula de escape. Muitos esperavam que eu deixasse a cadeia morto, mas aconteceu exatamente o contrário – afirma o bispo Macedo. – É o que eu repeti o tempo todo e é em que acredito, está na Bíblia: tudo coopera para o bem daqueles que amam a Deus.

Parte da atenção do país estava voltada para Edir Macedo, mas o Brasil continuava de cabeça para baixo. Durante os dias na prisão, a Câmara dos Deputados aprovou em Brasília a instalação de uma Comissão Parlamentar de Inquérito para investigar as denúncias de Pedro Collor contra o tesoureiro PC Farias e suas possíveis ligações com Fernando Collor de Mello – fio de novelo que desenrolaria o primeiro *impeachment* de um presidente da República na história do Brasil.

Procuramos Collor de Mello, hoje senador da República, para que contasse sua versão sobre a prisão do bispo Macedo. Desconcertado, o ex-presidente deu uma resposta curta mas intrigante:

– Não me lembro.

Repetimos. Lembramos ao ex-presidente quando ocorreu a prisão e em quais circunstâncias.

– Não me lembro da prisão do bispo Macedo. Guardo apenas boas lembranças sobre o bispo. Não me lembro da prisão talvez porque eu estivesse muito preocupado com as turbulências políticas da época – disse Collor.

Depois do depoimento à repórter da Record e onze dias de prisão, Edir finalmente chegou em casa. A partir daquela noite, o bispo Macedo lideraria a sólida expansão da Igreja Universal e o crescimento de sua emissora de televisão.

O FILHO

ABORTAR E NASCER

Edir Macedo tinha 47 anos quando foi preso. Hoje, aos 62, continua com características físicas bem semelhantes. Pele branca, olhos claros de tom levemente esverdeado, dentes alinhados, estrutura óssea pequena, estatura de 1,69 metro. Está apenas mais magro – seu peso alterna entre 62 e 64 quilos – e com algumas marcas da idade. Cabelos mais ralos e grisalhos e miopia que o obriga a usar óculos para ler.

O tempo passou. Nem Edir nem a Igreja Universal eram tão conhecidos naquela época como são hoje. Bastam alguns passos na rua ou em outro lugar público, em qualquer ponto do Brasil, para ele ser reconhecido. Em todas as viagens ao lado do bispo, constatamos sua condição de "celebridade", embora ele rejeite radicalmente esse rótulo. Edir Macedo classifica-se como "pregador do Evangelho".

– Bispo, que prazer encontrar o senhor! Somos obreiros (*espécie de voluntários da Igreja Universal do Reino de Deus*) de Macaé – diz um segurança do Aeroporto Internacional do Galeão, no Rio de Janeiro, minutos depois de Edir e sua mulher pisarem no saguão.

– É mesmo um privilégio ver o senhor – completa o colega, sorridente, estendendo a mão para receber o cumprimento do bispo.

Nosso vôo é para Maceió, capital de Alagoas, onde será inaugurada a nova sede da Igreja Universal no estado. Também embarcam juntos Romualdo Panceiro e sua mulher. Os dois casais passam, pacientemente, pelos trâmites legais de embarque. Edir caminha desconfiado. Olha ao redor o tempo todo até chegar ao avião particular.

– O seguro morreu de velho, e o desconfiado ainda está vivo – diz ele, afivelando os cintos e preparando-se para as três horas de viagem, em que decide assistir ao último filme do espião 007, intercalado por instantes de cochilo.

A aeronave aterrissa em Maceió no meio da noite. Somos recebidos pelo pastor titular da igreja em Alagoas, escoltado por um grupo de seguranças. Os três carros não percorrem mais de 50 metros. Um confuso protesto de taxistas interdita a rodovia de saída do aeroporto, obrigando Romualdo a desligar o automóvel. O congestionamento aumenta. Motoristas e passageiros, parados na fila, conversam no acostamento. Em menos de cinco minutos, o bispo Macedo se levanta e decide atravessar o tumulto a pé. As mulheres seguem juntas poucos metros atrás.

– Aí, Edir Macedo! – gritam alguns manifestantes, em meio à paralisação dos sindicalistas. – Aleluia!

Os bispos são proibidos de entrar nos táxis. Seguem um longo trecho da rodovia a pé até serem levados por dois carros particulares, que fazem transporte informal.

A estrada foi liberada apenas na manhã do dia seguinte.

A saída a pé em meio à manifestação dos taxistas de Maceió revela um dos pontos marcantes da personalidade do bispo Macedo: a obstinação. Edir não olha para nada quando quer alguma coisa. E age rápido. Sua história de vida mostra isso.

– A Igreja Universal é, sem dúvida, a maior representante do movimento neopentecostal brasileiro. E boa parte disso se deve à gestão do bispo Edir Macedo. O que foi construído por ele nos trinta anos da igreja é impressionante, um verdadeiro império. Independentemente do que se acredite, é inegável que ele sabe muito bem o que está fazendo. É uma pessoa obstinada, de muita determinação – analisa Ênio da Costa Brito, professor titular de religião na pós-graduação da Pontifícia Universidade Católica de São Paulo.

É a primeira vez que o bispo Macedo prega em Alagoas. No evento de inauguração, reuniu mais de 10 mil fiéis. Outros 4 mil se aglomeravam do lado de fora, em frente a um telão na entrada do templo. O prédio tornou-se uma das construções mais arrojadas da capital alagoana, ao custo de 29 milhões de reais. Tem 4.800 poltronas estofadas, ar-condicionado, som estéreo de cinema e quatrocentas vagas no estacionamento. O acabamento da arquitetura é refinado. No dia anterior, Edir conheceu a obra e discutiu detalhes com os arquitetos.

– Papai precisava ter visto esta igreja – afirma, ao contemplar o colorido dos vitrais e o altar de mármore.

Henrique Francisco Bezerra, pai de Edir, era alagoano de Penedo, cidade do semi-árido de Alagoas. Com pouca escolaridade, ouvinte assíduo da *Hora do Brasil* – histórico noticiário de rádio brasileiro –, Henrique fez a vida como autodidata. Aprendeu a tocar violão sozinho, dedilhando o instrumento dentro de casa. Costumava perguntar sempre quem ensinara o professor, quem havia primeiro descoberto o conhecimento, e metia-se a aprender o que não sabia.

A dedicação ao trabalho, nas áreas rurais do interior ou no subúrbio dos centros urbanos, foi sua grande lição. Henrique teve criação católica, mas chegou a ser maçom. Também era severo, duro, um tanto emburrado. Torcedor do América do Rio, tinha no futebol uma de suas paixões. Certo dia, um dos irmãos de Edir provocou o pai ao exibir a manchete de um jornal de esportes que estampava a derrota do América por 3 a 0 para o Fluminense.

Levou um tapa no rosto.

TEMPLO EM MACEIÓ
Diante da obra, bispo se lembra do pai, alagoano

O alagoano Henrique tinha 32 anos quando chegou para trabalhar na pequena Rio das Flores, interior do Rio de Janeiro e divisa com Minas Gerais. Poucos dias no município – que ainda se chamava Santa Thereza –, e o sertanejo logo se encantou por Eugênia, moça bonita, então com 16 anos, metade da idade dele.

Nascida no Sítio do Abarracamento, Eugênia, de família católica, nutria o sonho de ser mãe. Em pouco tempo, os dois se casaram. Por anos, dividiram uma casa apertada, próxima a uma cooperativa de leite, em que Henrique era diretor comercial. Logo veio a primeira gravidez de Eugênia. Uma de muitas.

– A mamãe todo ano tinha um filho – brinca Eris Bezerra Crivella, uma das filhas.

Não chegou a tanto. Mas esteve perto. Nos 54 anos em que viveu com Henrique, Eugênia teve 33 gestações. Sofreu dezesseis abortos e perdeu dez filhos prematuros. Sete sobreviveram.

COOPERATIVA EM RIO DAS FLORES
Explosão de caldeira precipitou o nascimento de Edir Macedo

– Minha mãe chegou a entrar em trabalho de parto sozinha, à beira de rio – conta Celso Macedo Bezerra, o filho homem mais novo.

Os bebês que resistiram nasceram pelas mãos da avó materna, Crementina Macedo. Naquela época, era comum recorrer ao serviço de parteiras, principalmente em cidades do interior, nas quais não existiam médicos ou enfermeiras.

O valor da avó foi confirmado numa certa manhã de domingo de carnaval. Naquele dia, uma forte explosão assustou Rio das Flores. O planeta estava em conflito. Mais de 25 mil homens do Exército brasileiro atacavam a Itália, no avanço dos Aliados sobre os países do Eixo. A Segunda Guerra Mundial estava no auge. A distância dos grandes centros e, naturalmente, das notícias levou moradores da tranqüila cidade do interior fluminense a acreditar em uma contra-ofensiva. O nervosismo passou logo. O estrondo nada mais era que a explosão de uma das caldeiras da cooperativa de leite da cidade. Mas o susto fez que Eugênia, vizinha do local do acidente, entrasse em trabalho de parto.

Edir Macedo Bezerra nasceu naquele 18 de fevereiro de 1945.

UM ARREPENDIMENTO

O quarto filho da família Macedo Bezerra nasceu com deficiência na mão esquerda. Didi, como Edir era chamado pelos irmãos, tem uma pequena atrofia nos dedos. Seus indicadores são finos. Os polegares, um pouco maiores. Todos se movem pouco. Apenas os outros três dedos têm movimentos normais. O problema é hereditário. Sua avó, mãe de Henrique, tinha menos dedos em cada mão. Na infância, o defeito gerou complexos de inferioridade no menino Didi.

– Eu era o patinho feio da família. Tinha a sensação de que tudo o que eu fazia dava errado: era a pipa cortada, eram os balões que pegavam fogo. Às vezes, me sentia um estorvo – lembra Edir Macedo.

– Ele não brincava tanto com os meninos. Era mais tímido. Talvez por causa da mãozinha – diz a irmã Eris.

Com o apoio da família, ele acabou superando o defeito de nascença.

– Hoje, as pessoas me imploram para eu colocar a mão defeituosa na cabeça delas. E eu digo: "Minhas mãos não vão resolver nada. Só Deus pode transformar alguém complexado numa pessoa livre".

Didi cresceu com seis irmãos: Eris, Elcy, Eraldo, Celso, Edna e Madalena. Eris, Madalena e Elcy vivem no Rio de Janeiro. Edna e Celso, em São Paulo. Eraldo morreu em outubro de 2006. Ele, Celso e Edna chegaram a se eleger deputados com apoio dos freqüentadores da Igreja Universal. Em razão de sua agenda apertada, Edir tem pouco contato com os irmãos. Mesmo com Celso, o mais próximo nos tempos de infância.

– Ele corria mais, subia em árvores em que eu não conseguia. O Celso sempre me protegia por causa do meu defeito nas mãos. Era o meu protetor.

GENÉTICA
Deficiência na mão esquerda herdada da avó paterna

Elcy ajudou a me criar, era muito apegada a mim. A Eris, o Eraldo, a Edna, a Madalena, todos foram muito importantes na minha vida.

Os pais tiveram dificuldades para criar os sete filhos em Rio das Flores.

Logo após o nascimento de Didi, Henrique saiu da cooperativa de leite e abriu um armazém na cidade. A antiga prática do "fiado", comum em pequenos estabelecimentos do interior, fez que o negócio não prosperasse. Com a venda do armazém, foi necessário buscar outro meio de sobrevivência. Henrique foi trabalhar na contabilidade da Fazenda da Forquilha, administrada por um amigo dele e que plantava café e produzia cachaça. A família viveu na fazenda até o início da década de 1950.

Depois desse período em Rio das Flores, Didi foi, aos 6 anos, morar com os pais e os irmãos em Petrópolis, na região serrana fluminense, em uma casa cercada por hortênsias, em um local bastante arborizado. As refeições tinham horário sagrado: o almoço às 10 da manhã, e o jantar às 7 da noite.

– É uma cidade que não sai do meu coração. Gostaria de viver o resto dos meus dias lá – conta o bispo Macedo.

Por causa do trabalho do pai, a família teve de se mudar diversas vezes. No Rio de Janeiro, passaram pelo Morro do Catumbi antes de São Cristóvão, onde moraram por cerca de dez anos.

Nesse período, Didi e os amigos aprontaram uma "brincadeira" que virou lição de vida. A turma roubou picolés de uma sorveteria local. Quando Didi chegou em casa, o pai descobriu o furto. E, ao contrário dos correti-

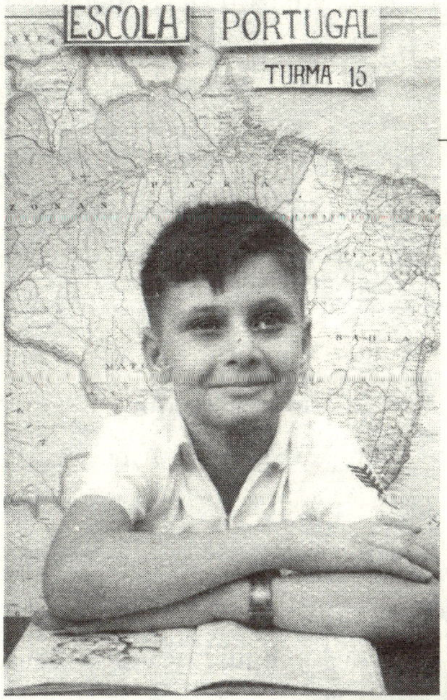

RETRATO
O aluno tímido da escola fluminense

FAZENDA DA FORQUILHA
Lugar onde Edir passou parte da infância

MÃE E FILHO
Dona Geninha foi a primeira a acreditar no pastor Macedo

vos costumeiros, seu Henrique fez algo mais dolorido para o filho. Obrigou Didi a ir ao estabelecimento pagar o que devia pelo sorvete e pedir desculpas ao proprietário.

– Ele foi chorando, mas foi. Meu pai era a pessoa mais honesta que já conheci – relembra Celso.

Assim que concluiu o primário, aos 11 anos, Didi parou de estudar para ajudar o pai no novo negócio: um bar montado em São Cristóvão. Henrique não tinha condições de pagar empregado, e Didi, por ser o mais dedicado, acabou escolhido para ajudá-lo. Foi o primeiro emprego.

A mãe também fazia pastéis, bolinhos de bacalhau e outros salgadinhos. Didi e Celso saíam pelas ruas dos bairros industriais de São Cristóvão para vender os quitutes. A economia dos irmãos presenteou dona Eugênia com o primeiro liquidificador de sua vida. A casa onde moravam era típica de uma família simples. Não tinha geladeira nem televisão.

– Para vermos tevê, tínhamos de ir à casa do vizinho. Mas, graças a Deus, nunca passamos fome – conta Celso.

Didi tinha 15 anos quando a família fez nova mudança: dessa vez de São Cristóvão para o município de Simão Pereira, no interior de Minas Gerais. Passaram a viver do dinheiro de uma pequena quitanda. Moraram nesse lugar por cerca de um ano. Foi quando ele voltou aos estudos e começou o ginásio.

– A gente levantava de manhã e pegava carona para ir estudar. Só íamos para o colégio se pegássemos carona – lembra Celso.

Didi cursou apenas o primeiro ano do ginásio. O pai novamente precisou mudar. Era a volta em definitivo para a cidade do Rio de Janeiro.

Nos altos e baixos dos Macedo Bezerra, o esteio da família sempre foi a mãe, Eugênia. Ela cuidava da educação dos filhos e da organização do lar. Na roça, Eugênia acordava de madrugada para cuidar da casa. Sem nunca ter tido uma empregada sequer, cozinhava no fogão a lenha e carregava água do poço. Na cidade grande, mesmo sem o ensino primário, ajudava o marido a tocar os negócios.

Tempos depois, a mãe continuaria exercendo papel singular na vida do filho Edir, como ao se tornar fiadora do primeiro templo da Igreja Universal do Reino de Deus – um voto de confiança que será detalhado no capítulo "Luz na funerária".

Os pais de Edir já faleceram. Os dois eram freqüentadores fiéis da igreja do filho. Aposentado, Henrique Bezerra viveu seus últimos dias em Juiz de Fora, Minas Gerais. Eugênia Macedo teve uma morte mais sofrida. Após fortes dores no pulmão, provocadas por um problema neurológico, deu entrada às pressas no mais caro hospital de São Paulo. Foi internada com as mãos e os pés amarrados e, mais tarde, submetida a respiração por aparelhos.

– A última coisa que mamãe queria era ir para o hospital. Ela sempre me dizia: "Filho, nunca me deixe nas mãos dos médicos". E foi justamente o que aconteceu – recorda o bispo, com a voz triste. – Eu deveria ter trazido minha mãe para casa. Eu me arrependo de ter deixado ela no hospital. Eu me arrependo...

No dia 17 de dezembro de 1997, Eugênia foi enterrada ao lado do marido, no cemitério de Simão Pereira.

O INDIGNADO

INTIMIDADE REVELADA

Foi da criação no interior do Rio de Janeiro que Edir Macedo herdou o estilo de vida que preserva até hoje, depois de conhecer dezenas de países e culturas em todos os continentes. A residência fixa do bispo é nos Estados Unidos, mas ele atravessa o ano em contínuas viagens ao redor do planeta.

Além de sua casa, os lugares em que mais tempo permanece em suas visitas são Portugal, Inglaterra e, claro, Brasil. Seu lugar de hospedagem é sempre o mesmo: a principal sede da Igreja Universal em cada país. Nos últimos meses, estivemos em todos esses lugares, retratando de perto sua rotina. É a primeira vez que o bispo abre, sem reservas, sua vida para jornalistas.

O cotidiano de Edir Macedo surpreende pela simplicidade. Nos dias de semana, acorda antes das seis para escrever mensagens religiosas. Depois do café, consome a manhã em reuniões com pastores. Almoça sempre com a mulher e os bispos responsáveis pelo país onde está de passagem. Depois do almoço, invariavelmente, descansa por 1 hora.

– Se não durmo, meus olhos encolhem e fico zonzo.

Durante a tarde, lê a Bíblia e grava seu programa de rádio, e à noite, durante um ou mais dias da semana, exercita sua função predileta: comandar cultos no altar. Em qualquer canto, um compromisso é lei: reuniões com os fiéis nas noites de quarta e nas manhãs de domingo – nos Estados Unidos prega em espanhol, e em Londres, em inglês. Nas noites em que não está no púlpito, despacha sobre decisões estratégicas da Universal: a compra de terrenos, a construção de novos templos, os investimentos em mídia, a transferência de pastores, as obras sociais.

CAFÉ-DA-MANHÃ
Refeição simples, bem cedo, após escrever a mensagem religiosa do dia

PALADAR INTERIORANO
– Se o arroz e o feijão estiverem bons, não me incomodo com o resto

Para cumprir sua agenda de compromissos no Brasil e no exterior, o bispo Macedo utiliza um Falcon 2000 EX Easy – um jato particular com menos de três meses de uso.

– Não é um luxo. É uma ferramenta necessária para o trabalho. Resolvemos os problemas da igreja com mais agilidade – afirma Edir.

O condicionamento físico para viajar impressiona. Para se ter idéia, copiamos, aleatoriamente, um período ininterrupto de dois meses de sua agenda. Nesse tempo, Edir Macedo esteve quatro dias em Atlanta; sete dias em Luanda, capital de Angola; sete dias em Johannesburgo, na África do Sul; três dias em Londres; dois dias na Alemanha; três dias em Nova York; três dias na

Califórnia; dez dias em São Paulo; cinco dias no Rio de Janeiro; dez dias em Miami; e sete dias na Cidade do México.

Em 61 dias, o bispo enfrentou 57 horas de vôo e 28 fusos horários diferentes, excetuando-se os deslocamentos internos.

– Não é bom para minha saúde nem para a da Ester viajar tanto, mas é um sacrifício. O povo e os pastores precisam. Temos consciência, fazemos isso pelo povo.

Tanto tempo no ar fez de Edir Macedo um passageiro seguro.

– Ele tem um senso de segurança muito bom. Apóia as decisões delicadas nos momentos de vôo mais arriscados – conta o comandante Roberto Gago, piloto do bispo.

Lazer mesmo somente aos sábados. Quando está no Brasil, raramente sai de casa. E nem faz muita questão.

– Sou extremamente caseiro. Eu não gosto de muita gente, a não ser na igreja. Mas em outro ambiente, logo que começa a juntar pessoas, eu vou embora. Acho que sou anti-social.

As folgas de sábado divide com a mulher e os demais bispos. Seu passatempo preferido é jogar buraco.

– Odeio perder, mesmo de brincadeira.

Além da Bíblia, seu livro de cabeceira atualmente é a versão em inglês de romance do escritor-advogado John Grisham, famoso por suas ficções inspiradas em histórias reais do sistema judiciário americano.

Não passa mais de três ou quatro horas longe do computador. Nas várias casas em que estivemos com Edir, flagramos a mesma situação repetidas vezes: ele, a mulher e os demais pastores, cada um com um *laptop*, espalhados pela sala. Assistem tevê ao mesmo tempo, entre uma checada ou outra nos *e-mails*.

Outro prazer do bispo Macedo são os filmes. Aprecia os de ação, documentários e, principalmente, os clássicos, como o legendário drama *1900*, de Bernardo Bertolucci, e *Cinema Paradiso*, assistido sucessivamente. O que mais encanta Edir no sucesso do cineasta italiano Giuseppe Tornatore são as trilhas sonoras. O bispo é fascinado por música instru-

ANIMAL DE ESTIMAÇÃO
Com o cão labrador Budy durante passagem por São Paulo

mental, em especial pelas criações do maestro Enio Morricone. As composições melodiosas servem de fundo para suas orações em cultos ou em seus programas de rádio.

No ano passado, deu uma ordem inédita a seus pastores: mandou que todos exibissem nos templos um clipe de uma das apresentações de Morricone. E transmitiu a explicação a ser repassada:

– A igreja deve funcionar assim: como uma orquestra. Cada músico, seja o que toca o instrumento mais ou menos relevante, seja o que aparece só uma vez ao longo da canção, tem participação vital no conjunto da obra. O maestro é Jesus. Repare que cada músico tem os olhos fixos em sua partitura. Ninguém se preocupa se o outro está tocando direito ou não. É a disciplina, a ordem. O problema é do maestro, ele dá o sinal para cada um tocar. O maestro é quem rege a orquestra.

Curiosamente, Edir Macedo pouco admira a música gospel.

FOTOGRAFIA, UMA PAIXÃO
Imagens da natureza em vários continentes

– São cada vez mais raras as boas músicas neste meio. Gosto apenas das canções tradicionais, tocadas nas igrejas. O gospel que fazem hoje, normalmente, é comercial. Tem muito apelo emotivo, é feito para vender. Isso não me agrada.

Paixão mesmo é a fotografia. Edir mostra com alegria as centenas de fotos armazenadas em seu computador, com retratos e paisagens feitos ao redor do mundo. As preferidas são os jacarandás de Pretória, na África do Sul, o pôr-do-sol na cidade de Cascais, no litoral de Portugal, e as árvores secas retorcidas pelo inverno de Londres.

– Não gosto de fotografar gente. Gosto da natureza. O céu, as montanhas, as flores.

Uma máquina fotográfica profissional, apoiada num tripé preto, está sempre a seu lado. Segue o bispo em todas as suas viagens. O *hobby* é motivo para longas conversas com quem entende do assunto. Foi assim nos encontros com nosso repórter fotográfico, o peruano Luiz Miguel Zúnica, destacado para produzir as imagens de Edir Macedo.

– Qual é a melhor lente para fotografar pessoas? Qual é a boa para *closes*? Que tipo de equipamento deve ser utilizado em local com neve? – perguntava.

Em uma de nossas entrevistas com o bispo, em São Paulo, o tema dominou a conversa. Edir pediu para ver as duas câmeras de Zúnica. Divertiu-se fazendo foco nos autores e em alguns ângulos da cozinha. Em um dos escritórios, abriu uma mala e mostrou o conjunto de lentes que utiliza nas viagens pelo planeta.

Na sala íntima da casa, falou sobre a vontade de tirar fotos em lugares diferentes. Revelou o desejo de ir à Finlândia somente para fotografar a aurora boreal – fenômeno óptico que ocorre em regiões próximas a zonas polares. E, para surpresa de todos os presentes, convidou Zúnica.

O bispo escolhe pessoalmente os ternos que usa nas pregações. A maioria das camisas tem abotoaduras nas mangas, golas sem botão e as iniciais de seu nome costuradas na altura do bolso. Fora do altar, também anda alinhado. Veste roupas sociais esportivas, mas não dispensa camisetas e moletons. Carrega sempre um lenço no bolso. É um hábito antigo. Ele mesmo é quem faz seu armário e define o que vai vestir.

– Eu não gosto do gosto da Ester, e ela não gosta do meu gosto. Mas é claro que sempre ouço a opinião dela.

– O estilo dele é clássico – conta a esposa.

Edir nos mostra seu *closet* de gravatas, a maioria por ele mesmo escolhida. São mais de trinta modelos italianos. Seda pura, encorpada, acabamento de primeira. Predominam tons azuis e vermelhos – coincidentemente, as cores da Igreja Universal. Na cômoda, os perfumes favoritos do casal são duas fragâncias italianas: para ele, Aqua di Parma; para ela, Salvatore Ferragamo.

– O conforto primeiro, depois a estética. É assim que vivo.

A norma vale para seus hábitos alimentares. Edir aprecia especialmente bacalhau. Ao forno, gratinado, com ou sem batatas. O sal na medida certa, sem conservantes. Para o bispo, "bacalhau é bacalhau". Sempre acompanhado por uma taça de vinho tinto, de preferência chileno ou sul-africano. Ao menos uma vez por semana, Edir degusta uma das variações do tradicional prato português.

Quem organiza seu cardápio, esse item, sim, é Ester. O tempero, os acompanhamentos, a bebida, a sobremesa. Tudo é controlado pela mulher. Nada de comidas gordurosas, excesso de frituras ou doces em exagero. No final da tarde, geralmente um prato de mingau. Quase sempre, o bispo toma café, almoça e janta na própria igreja. Quando decide fazer refeição fora, situação raríssima pela exposição em público, os restaurantes são escolhidos a dedo.

– Quando a gente viaja, ele só come massa. Nada de comida sofisticada – comenta Ester.

– Se o arroz e o feijão estiverem bons, não me incomodo com o resto. Sei que existem pratos maravilhosos, mas não me atraem. Nasci na roça, sou roceiro.

– O arroz não pode estar muito solto, moço – diz a baiana Iraildes Alves de Oliveira, a Dinha, cozinheira de Edir Macedo há seis anos e que muitas vezes viaja com o bispo para preparar sua comida. – Costela, rabada sem gordura, farofa. Ele gosta de comida simples.

A qualidade da alimentação é imprescindível para a saúde de Edir. Ele faz mensalmente o controle da taxa de diabetes, resultado dos seus 62 anos de idade. Por isso, cumpre uma rigorosa tabela nutricional e caminha na esteira durante uma hora diariamente. Ele e a família são acompanhados por uma equipe de médicos brasileiros. O cardiologista Wagner Fiori, um dos maiores especialistas do país, cuida do coração do bispo.

CLOSET DE GRAVATAS
Para ele, roupa alinhada dá credibilidade ao pastor

– Ele tem saúde de ferro. O que ajuda bastante é sua disposição para o trabalho, sua vontade de estar sempre em atividade. O ritmo de viagens em que vive, parando dois ou três dias em cada lugar, com fusos horários tremendos, exige saúde – afirma o médico, que atende Edir Macedo há uma década. – Fazemos exames de rotina anualmente, falamos por telefone sempre que há qualquer problema. Ele é um paciente bastante disciplinado.

O cardiologista faz um diagnóstico: o controle emocional do bispo Macedo é a matriz de sua vitalidade.

– Em nenhum momento de crise notei meu paciente abalado. Acompanhei as fases críticas dele e de sua igreja e nunca isso afetou sua saúde.

Edir é avesso a desperdícios, em especial de comida. Para quem viveu tempos de escassez no início da Igreja Universal, em que, muitas vezes, era preciso contar com a generosidade de um fiel para ter um alimento melhor, prato bom é prato na medida certa. Em uma de suas incursões pelo Norte do Brasil, logo após uma reunião, o bispo se espantou com uma mesa enorme, lotada de iguarias. Pronto. Pastores mais próximos, que acompanham

Edir nos itinerários, já sabem de cor: é momento de o anfitrião levar uma bronca sutil.

– Nada de desperdício, pastor. Para que tanta comida? Chame os outros pastores para comerem tudo isso – diz, antes de algumas beliscadas.

Na hora do alimento, outro costume é sempre convidar à mesa quem está por perto. O fotógrafo, o cinegrafista, o técnico de som, o segurança, o auxiliar da igreja. Em um dos almoços com Edir na África, ele interrompeu a conversa, pediu licença e convidou a manicure de sua mulher para almoçar.

– Senta, filha. Aqui somos todos iguais.

A PRIMEIRA VEZ

Se os hábitos alimentares de Edir Macedo preservam o menino da roça que ele foi, sua intimidade revela o adolescente de vida também simples no centro e na Zona Norte do Rio de Janeiro nos anos 1960.

Edir Macedo tinha 16 anos quando a família mudou-se em definitivo para o Rio, de novo para o Morro do Catumbi, na região central da cidade. Foi lá que Edir concluiu o ginásio. A família ainda passou pelos bairros da Tijuca e da Glória.

De volta à capital fluminense, Edir conseguiu o segundo emprego num escritório administrativo. Ganhava um salário mínimo, dinheiro usado para ajudar nas despesas de casa e para pagar os estudos. Valeram os esforços: Edir logo concluiu o científico, o equivalente ao ensino médio de hoje.

Mais tarde, em 1963, Edir iniciou carreira no funcionalismo público: virou contínuo na Loteria do Estado do Rio de Janeiro, a Loterj, graças a um empurrãozinho de Carlos Lacerda, então governador do estado.

– Meu pai não gostava de pedir nada a ninguém, mas minha mãe insistiu. Fomos até a porta da casa do governador e esperamos até a hora de ele sair. Quando nos viu, Lacerda chamou meu pai – lembra o irmão Celso, que também conseguiu um trabalho no Departamento de Trânsito do Rio. – Ele foi muito gentil conosco, nos colocou no carro dele, em direção ao Palácio das Laranjeiras. Fui na frente com o governador, apertado; atrás foram minha mãe, meu pai, o Edir e o ajudante-de-ordens do Lacerda.

Por amizade, Henrique, o pai de Edir, havia ajudado o governador em diversas campanhas eleitorais. Pela primeira vez pedia um favor ao político. A família foi atendida.

Entre as atribuições de Edir estava a de servir café para a diretoria. Sua remuneração não chegava a um salário mínimo, mas trabalhava apenas meio expediente. Aos poucos ganhou a simpatia dos superiores, em razão de seu empenho. Quando completou uma década de Loterj, recebeu um diploma de bons serviços prestados.

IBGE
Aluno da Escola Nacional de Estatística, trabalhou no Censo de 1970

Ao longo dos anos, conseguiu diversas promoções até galgar o posto de chefe de tesouraria, então cargo de confiança da presidência da Loteria. Foi servidor público por dezesseis anos, até pedir demissão da estatal para fundar a organização que, futuramente, se transformaria na Igreja Universal do Reino de Deus.

Ao mesmo tempo, o jovem Edir Macedo tentou continuar os estudos. Pretendia conquistar um diploma universitário. Por sua facilidade com os números, cursou matemática na Universidade Santa Úrsula, no Rio, por dois anos. Depois transferiu-se para a Universidade Federal Fluminense, em

Niterói, onde estudou por mais um tempo. Parou. Em seguida, cursou até o segundo ano na Escola Nacional de Ciências Estatísticas. As mesmas razões impediram Edir de terminar o curso. Conciliar o trabalho com o estudo era um desafio.

Aos 25 anos, chegou a acumular dois empregos: na Loteria e no Instituto Brasileiro de Geografia e Estatística, o IBGE. Lá, trabalhou como pesquisador no censo econômico de 1970. Segundo ele, foi um tempo difícil, em que até deu aulas particulares para ajudar no orçamento familiar.

– Trabalhava das 7 ao meio-dia no IBGE. Comia em marmita. Às 13h00 entrava na Loteria e ficava lá a tarde toda trabalhando. Depois seguia para dar aula de matemática e, finalmente, às 7 da noite, começava na Escola de Estatística – lembra Edir. – Chegava em casa por volta de meia-noite. Era muito pesado.

Sobrava pouco tempo para o lazer na juventude. Nas poucas horas vagas, Edir dedicava-se ao futebol e aos namoros. Quando morava em São Cristóvão, freqüentava o Maracanã aos domingos para ver os jogos do Botafogo, seu time de coração.

– Assisti a várias partidas com Garrincha, Gérson, Carlos Alberto, Nilton Santos, Didi. Eu ia com amigos do armazém em que eu trabalhava.

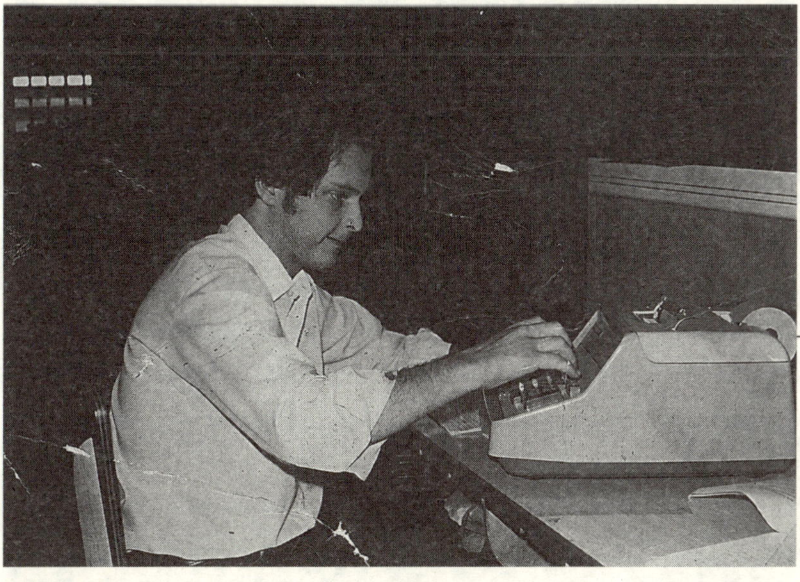

LOTERJ
Edir completou dezesseis anos de carreira como funcionário público

Ainda hoje revive o gosto pelo futebol nas folgas com os pastores nos sítios da Universal. Torcer calorosamente, como nos tempos da juventude, faz parte do passado.

– É como chupar uma bala. É doce, é bom, mas quando acaba já era – diz ele, criticando o fanatismo de alguns torcedores.

O futebol não era o único deleite do jovem Edir. As mulheres também. Os bailes, os cinemas e os encontros nas praças. Aos 18 anos, ele e o irmão já tinham carteira de habilitação para dirigir. Compraram um jipe azul, ano 1962, pago em trinta meses. Era nele que saíam para a badalação.

Edir sempre foi muito namorador. A deficiência nas mãos nunca foi barreira para exercitar o papel de galanteador. Apesar da timidez, tinha conversa sedutora. Vaidoso com a aparência, dono de farta cabeleira, lisa e comprida, chegou à maioridade com muitas namoradas. Mas teve sua primeira relação sexual dois anos antes, aos 16, numa farra com os colegas de escola no bairro do Catumbi.

– Foi antes do casamento, antes da minha conversão. Foi num bordel em frente ao colégio em que eu estudava à noite.

Já as drogas não fizeram parte da juventude de Edir Macedo. Somente cigarro, que fumou apenas três vezes na vida.

– Eu não sei o que é droga. Não sei o que é maconha nem cocaína. Nunca vi nenhum tipo de droga na minha frente.

Enquanto se divertia na juventude, um medo atormentava Edir Macedo: ter o inferno como destino após a morte. Aos 17 anos, então, decidiu acompanhar a família em mais uma mudança. Era o despertar de sua religiosidade.

Elcy, a irmã mais velha, foi a primeira a seguir o caminho da fé evangélica. Passava madrugadas acordada, sem ar, sufocada, com crises de bronquite asmática. Nas noites de frio, a casa da família Macedo virava um inferno. Eugênia, a mãe, carregou a filha para igrejas católicas e até para centros espíritas.

– Sem solução. Até que um dia me impressionei ao ouvir pelo rádio as palavras de um pastor canadense. Ele convidava os ouvintes para irem a uma igreja chamada Nova Vida – lembra Elcy, que dias depois decidiu conhecer o lugar.

Foi a primeira de muitas idas. Segundo Elcy, os ataques de asma nunca mais aconteceram.

A história da irmã intrigou Edir Macedo. E coincidiu com uma fase de buscas por respostas interiores.

– Nesse tempo, fui buscar ajuda espiritual numa celebração católica. Já tinha visitado centros de espiritismo com meu pai, como o Santo Antônio de Pádua. Levava passe e tudo, mas não me acrescentou nada. Era Semana Santa. Quando entrei na missa, vi a imagem do corpo de Jesus estendido no chão e dezenas de pessoas orando (*era a Adoração ao Senhor Morto, assim chamada na Igreja Católica*). Aí me perguntei: "Quem precisa mais de ajuda aqui? Ele ou eu?". E fiquei me repetindo aquela pergunta, completamente indignado – relembra.

Com o apoio da irmã, Edir passou a se dedicar à meditação da Bíblia. E logo passou a freqüentar a Nova Vida, na sede da Associação Brasileira de Imprensa, no centro da cidade do Rio, onde se reuniam quinhentas pessoas. Desde o início, era orientado pelo pastor nos ensinamentos bíblicos. Não foi fácil: tinha muita dificuldade para entender as simbologias e perdia-se ante a enxurrada de dogmas.

A CONVERSÃO
– Percebi em mim uma energia que me fazia capaz de tudo

Aos poucos, o ambiente de fé, as músicas, as preces, juntamente com as pregações, motivaram Edir Macedo.

– Teoricamente, eu estava firme. Mas, na prática, o meu coração era o mesmo: não havia mudado nada. Apenas me tornei mais educado e consciente das coisas espirituais, mas nenhuma transformação prática no meu caráter e na vida pessoal havia ocorrido.

Aos 19 anos, impulsionado por uma decepção amorosa, Edir afirma ter ocorrido o que ele chama de "conversão". Pedimos ao bispo para explicar o que isso significa.

– Recebi um novo coração. Uma alegria indescritível passou a fazer parte do meu ser. Fiquei livre dos complexos, da solidão e da dependência de terceiros. Percebi que havia em mim uma energia própria que me fazia capaz de todas as coisas em nome do meu Senhor. Que maravilha... Foi a maior alegria de toda minha vida: meu encontro com Deus.

A mudança de comportamento gerou situações constrangedoras. No trabalho na Loterj, ao contar que tinha se tornado evangélico, era rotineiramente alvo de piadas e provocações. Os colegas do departamento, por exemplo, incitavam Edir ao lhe mostrar fotos de revistas masculinas. Certo dia, uma funcionária escancarou na mesa de Edir o pôster de uma mulher nua.

– Olhe, se você for homem de verdade – dizia, em meio à gargalhada geral.

– Passada a situação, eu me trancava no banheiro para orar. Chorei muito no banheiro da Loterj – lembra o bispo.

Alguns anos mais tarde, Edir Macedo deixaria de ser um simples freqüentador fervoroso ao desenvolver sua capacidade para a pregação. Mas antes encontraria a quem ele chama de alma gêmea.

O AMANTE

A FÉ E A MULHER

De um lado da mesa, Ester e as filhas, Cristiane e Viviane. Do outro, os dois genros e o filho adotivo Moisés. Na ponta, o bispo. O sol de Miami, nos Estados Unidos, inunda a sala de almoço no apartamento dos Macedo Bezerra. Acompanhamos um dia de raro encontro entre toda a família.

Na sala de Miami e dos demais endereços pelo mundo, o mesmo objeto de decoração: retratos e mais retratos do álbum de família. É uma tradição criada por Ester. Ela e Edir Macedo são um só. A afinidade dos dois é evidente. Um olhar, um gesto, meia palavra, e marido e mulher já entendem o recado. Nem sempre significa afinidade de opiniões, mas saber o que fazer, ou deixar de fazer, para agradar ao outro.

O casal está sempre junto, desde o primeiro dia de 35 anos de união, completados em 2007. Nas refeições, no avião, no descanso do sábado, na hora de se arrumar para a pregação. A esposa ajuda a fechar a gola da camisa do marido, que, por sua vez, palpita sobre a combinação das cores do vestido da esposa. Nos eventos de Edir com fiéis ou pastores, lá está ela, Ester, sempre na primeira fileira.

– Sabe qual meu outro segredo? Outro segredo do crescimento da Igreja Universal? – pergunta o bispo Macedo, provocando mistério. – A fé e a mulher.

O bispo não brinca quando o assunto é casamento. A união no altar é rigorosamente levada a sério dentro de sua instituição religiosa. Pastores somente crescem na hierarquia do grupo quando são bem casados. Divórcio é sinal de que algo está errado, mas não é o fim. Quando a mulher abandona

VIDA EM COMUM
Em casa, o sorriso ao ganhar um afago da esposa

o marido responsável por alguma função na igreja, logo após a separação ele recebe apoio para casar-se novamente.

– Ensino que o casamento não pode ser feito na base da paixão. Não podemos seguir o coração, ignorando o raciocínio. Casar não exige apenas amor, mas, acima de tudo, fé.

Entre os solteiros, também há normas. Noivas de pastores passam por uma espécie de estágio ao conviver até doze meses com casais religiosos mais experientes. Os candidatos a núpcias, pastores ou fiéis da igreja, são incentivados a se unir com diferença etária de, no máximo, cinco anos. E são orientados a se casar somente depois dos 23 anos.

– Se a pessoa não acredita que o casamento vai dar certo, é melhor não se casar. Mesmo que goste do outro. O mau casamento transforma a vida de qualquer um em inferno.

Para o bispo, sexo é uma dádiva. E pilar do casamento.

– Sexo é para ter prazer. A cama é a base de uma aliança no altar. Não são os filhos, o dinheiro nem o carinho. Se um não der o que o outro precisa, já era. É uma necessidade humana, é como comer e beber. O marido deve ser o amante da esposa, e vice-versa.

Provocar Edir Macedo é questioná-lo sobre dogmas religiosos que se refiram à abstinência sexual.

– Sexo não foi criado pelo diabo, mas por Deus. É o momento de aliviar as tensões – opina ele, dizendo-se radicalmente contra o celibato. – Quando faço sexo, vou para o altar mais forte. O matrimônio é fundamental no relacionamento humano. Ele simboliza a aliança eterna com Deus.

Edir Macedo preza seu relacionamento conjugal. Uma história que começou a ser construída na década de 1970, quando tinha 26 anos. Naquele tempo, como mostrado no capítulo "A primeira vez", ele já freqüentava a Igreja Evangélica Nova Vida, no Rio de Janeiro. E tinha um medo que beirava o desespero: ter um casamento arruinado.

O medo não era sem fundamento. Eraldo e Celso, os irmãos homens, já tinham esposa, mas os casais viviam em pé de guerra. Muitas vezes, chegavam a se agredir fisicamente. Edir assistia a tudo de perto. A mulher de Celso, Eliana Bezerra, lembra-se das brigas até hoje.

– Tinha muito ciúme do Celso, discutia com ele o tempo todo. Outro problema sério que eu tinha era com nossas crianças. Eu tive quatro filhos e, no meio deles, perdi quatro bebês prematuros. O bispo nos ajudou muito, nos aconselhava. Só por isso nosso casamento deu certo. Se não fosse esse auxílio, eu estaria separada do Celso – conta ela, hoje fiel assídua da igreja liderada pelo cunhado.

Após seu encontro com a espiritualidade, era hora de buscar uma esposa. Não desperdiçou a chance quando uma colega de igreja, a bela jovem Ester Eunice Rangel, pediu ajuda em matemática, a disciplina favorita dele. Na época, Ester fazia um curso preparatório para concurso de um banco estadual.

As aulas particulares nunca aconteceriam de fato.

No primeiro encontro, na saída do curso, uma surpresa. Atirado, Edir logo colocou as mãos nos ombros de sua pretendida.

– Você é abusado, hein! – disse Ester, encarando o rapaz.

– Sou mesmo – respondeu Edir. E colocou as mãos nos ombros da moça novamente.

– No fundo, aquela atitude chamou minha atenção. Gostei da determinação dele – relembra a esposa.

Os dois tinham acabado de desmanchar seus noivados. Ester havia descoberto que não gostava do antigo namorado. E Edir, já nos preparativos finais para o casamento, decepcionou-se com um palavrão dito pela noiva. Foi o suficiente.

– Quando vi a Ester pela primeira vez, disse que iria casar com ela.

Edir, dessa vez, precaveu-se. Investigou a ficha de cadastro da aspirante a esposa no escritório da igreja. Descobriu que era de uma família tradicionalmente evangélica, cujo avô havia sido pastor protestante. E passou a "persegui-la".

O CASAMENTO
Encontro definitivo, após ele e ela desmancharem seus noivados

– Ele me seguia na hora de sentar no culto. Eu ia para um lado, ele ia também. Eu ia para o outro, e lá estava o Edir.

O romance foi relâmpago. Dias depois de se declarar, pediu ao pai de Ester para namorá-la. O casal não perdeu tempo. Em apenas oito meses, namoraram, noivaram e casaram-se. Estavam muito apaixonados e felizes.

– Ester tinha alguma coisa a mais. Foi meu primeiro amor. Parece que a gente estava procurando um pelo outro fazia anos e nos encontramos naquele momento – declara o bispo.

Mas os desafios foram muitos, antes da cerimônia. Certa vez, um pastor disse a Ester que o casamento não daria certo. Alegou que tivera uma visão: ela se encontrava em um lugar alto, chorando amargamente. Curioso é que, anos mais tarde, quem se divorciou foi o pastor.

Nem Edir nem Ester tinham dúvidas. Em 18 de dezembro de 1971, casaram-se na Igreja Nova Vida, de Bonsucesso, no Rio. Uma festa simples, mas inesquecível para ambos. As fotos mostram um Edir sorridente, encantado com a noiva.

– Eu tinha um sorriso de orelha a orelha – lembra o bispo.

Edir não conseguiu um carro emprestado para viajar. O casal teve de embarcar de ônibus para um hotel simples de Caxambu, em Minas Gerais. E o pior: arrastando as malas da Estação da Leopoldina até a Rodoviária Novo Rio. Durante todo o percurso, a felicidade de Ester contrastava com a irritação de Edir. Mas a bronca passou rápido.

Era lua-de-mel.

No retorno, mais dificuldades. O custo da vida a dois era alto. Os dois empregos e as horas extras de Edir não eram suficientes para comprar móveis para o novo lar. Eles viveram cinco meses em um apartamento alugado no bairro do Grajaú, até que o esgoto transbordou, inundando tudo. Tornou-se inviável continuar morando ali. A sujeira espalhou baratas por todos os lados. E Edir tem horror a baratas – repulsão descoberta pela mulher na semana da lua-de-mel, quando uma delas, voadora, invadiu o quarto do casal. Ester é quem foi obrigada a matar o inseto. O bispo assume a repugnância:

– Eu enfrento o diabo, mas não enfrento uma barata.

Os dois se viram forçados a morar com os pais de Ester no Jardim América, ainda no Rio. Dormiam no antigo quarto da esposa, em duas camas de solteiro. Ester teve de abrir mão de seus móveis novos, comprados com tanta dificuldade pelo esposo. O pai dela tinha uma loja de material de construção, e os móveis acabaram depositados em meio a cimento e terra.

FORÇA
– Quando vi a Ester pela primeira vez, disse que iria casar com ela

Além de tudo, Edir levantava-se muito cedo para ir até o centro da cidade. Demorava 1 hora e meia de ônibus até o trabalho. Passaram cinco meses nesse sufoco. Uma lembrança triste.

– Vivia muito apertado. Não chegamos a passar fome, mas tudo era muito limitado. Carne só nos fins de semana.

Ester foi então obrigada a arrumar um emprego com o tio para ajudar a pagar as contas da casa. A vida financeira parecia melhorar, até que, um ano depois, ela engravidou de Cristiane. Mesmo gestante, continuou trabalhando. Quando a menina já estava com dois meses, voltou ao batente. Deixava a filha aos cuidados da avó materna pela manhã e só voltava a vê-la à noite, depois do expediente.

Em meio a tantos percalços, após cinco meses engravidou pela segunda vez. Agora, de Viviane.

– Não poderíamos ter outro filho. Quando recebi a notícia, eu falei: "Meu Deus do céu, agora danou-se tudo" – conta Edir.

Assim como o bispo, a filha mais nova também teve de superar um defeito de nascença.

Pausa na história.

Voltamos ao litoral de Miami.

SOCOS DE RAIVA

Edir e os genros batem papo enquanto Ester supervisiona o almoço ao lado das filhas. Moisés assiste a um filme no sofá. O encontro é raro pela distância que separa as famílias. Cristiane mora com o marido Renato Cardoso na Inglaterra desde 2003. Viviane, com o marido Júlio Freitas, na Espanha, há quatro anos. Os dois tomam conta da Igreja Universal nesses países. E Moisés, solteiro, vive a maior parte do tempo nos Estados Unidos.

– Essas são duas figurinhas que encontramos no caminho. Um é baiano (*Júlio*) e o outro é paulista (*Renato*) – diz, bem-humorado, Edir Macedo. – Casei minhas meninas, mas ganhei dois filhos.

– Cuidamos tanto para depois virem uns aí e levarem as filhas da gente – brinca Ester.

Para chegar a genro do bispo, os dois encararam obstáculos parecidos. Um deles foi pedir a mão da filha. O ritual foi o mesmo: fazer o pedido para o pai na frente dos outros bispos e pastores – uma prova de coragem e tanto, contam os genros. Renato, então pastor, foi direto ao assunto.

– Bispo, gostaria de casar com sua filha.

Edir Macedo fitou o garoto e disse:

– Rapaz, se você fizer alguma coisa para minha filha, eu arranco sua cabeça.

Cristiane e Viviane, jovens até hoje cuidadosas com a beleza, elegantes e bem articuladas, deixaram a casa dos pais com 17 anos. As duas mantêm um perfil semelhante: conversam bastante, mas sempre se colocam em segundo plano quando estão próximas dos esposos. Casaram-se cedo, no tempo em que o bispo Macedo era sucessivamente manchete na imprensa. No dia 6 de julho de 1991, Cristiane presenciou o pai ser xingado minutos antes de subir ao altar.

– Ladrão! Ladrão! – berravam alguns, entre o empurra-empurra dos jornalistas, na porta do Buffet Colonial, em São Paulo, onde o casal recebeu quatrocentos convidados.

– Na hora, fiquei arrasada – lembra Cristiane. – Mas meu pai virou-se para mim e, calmamente, disse: "Não ligue, filha. Tenha paciência. É assim mesmo".

Cristiane e Renato deram a Edir seu único neto adotivo. Felipe Cardoso, 14 anos, loiro e de expressivos olhos azuis, foi adotado em Portugal e hoje vive com a família em Londres.

– Ele chegou revoltado e, depois de ser criado com muito amor, virou um grande garoto – diz a avó.

– O avô é doido por ele – conta Cristiane.

A adoção é uma prática comum entre os pregadores da Igreja Universal. A maioria é vasectomizada por livre opção, conforme explica Edir Macedo no capítulo "Mente controversa". Há centenas de crianças que vivem com

ENCONTRO RARO
Com as filhas, a mulher e o filho adotivo em Miami

pastores e bispos no Brasil. O exemplo vem de cima. Edir Macedo ganhou seu terceiro filho, o caçula Moisés, numa história com enredo difícil de acreditar.

– Estava sentada na antiga Universal da Abolição, ao lado da dona Ester, assistindo à reunião. A igreja estava cheia, quando chegou uma senhora com um nenê no colo e um caixote de madeira na mão – lembra Marilene da Silva, mulher de João Batista Ramos, ex-deputado federal e ex-presidente da Record.

A fiel entrou no templo e, em linha reta, caminhou lentamente em direção a Ester.

– Dona Ester, olha o bebê que eu trouxe para a senhora – disse.

– Que bonitinho – respondeu ela, sem entender direito o que acontecia, já segurando o pequeno menino no colo.

Ester acolheu a criança nos braços por poucos minutos. A empatia foi imediata. A reunião do bispo Macedo prosseguia. Ainda encantada com o brilho nos olhos do menino, devolveu-o para a mãe.

– Não, dona Ester. É para a senhora. Para a senhora e para o bispo. Eu estou dando ele para vocês.

Ester e Marilene ficaram atônitas. A movimentação chamou a atenção de Edir Macedo, que conduzia a reunião.

– O que está acontecendo, Ester?

Ester levantou-se, com o bebê no colo, e foi para perto do púlpito, onde estava o bispo.

– Edir, a moça está dando esta criança para nós.

O bispo Macedo olhou o menino, passou a mão sobre a cabeça dele, pegou-o do colo de Ester e voltou-se para a mãe da criança.

– A senhora está dando este nenê para mim?

– Sim – ela respondeu, caminhando em direção ao altar.

– Por favor, suba aqui e explique isso no microfone.

– Desde que fiquei grávida, pensei em dar meu filho para vocês.

– A senhora tem certeza? A senhora sabe quantas testemunhas há aqui?

– Sim, tenho certeza.

Edir Macedo ergueu a criança sobre a cabeça.

'PAI DE VERDADE'
Uma das primeiras fotos com o filho Moisés

– Nasceu agora o Moisés da Igreja Universal – disse o bispo, seguido por palmas dos que acompanhavam a reunião.

Edir e Ester agradeceram o "presente". Moisés chegou com catorze dias de vida, com o corpo cheio de feridas. No dia seguinte, foi iniciado o processo oficial de adoção.

Hoje, aos 21 anos, Moisés conhece os pais e os irmãos biológicos. Mas considera Edir, Ester e as irmãs sua família de verdade. O bispo preserva um carinho especial pelo moço. O cuidado está até nos detalhes. Em outro almoço de família, num discreto restaurante da Barra da Tijuca, no Rio, Moisés pediu licença para retirar-se mais cedo da mesa.

– Cuidado ao volante. Olhe as infrações de trânsito. Dirija direito, rapaz – pede Edir.

Quando fala do pai, Moisés surpreende pela maturidade e pelo profundo respeito:

– Senti muito sua falta quando eu era mais novo. Hoje, entendo que o coração dele está na igreja. Sua dedicação é exemplar, sua vida sempre foi sacrificada no altar. Muita gente no lugar dele, passando o que ele passou, teria desistido, abandonado tudo. Meu pai é praticamente um herói.

Estamos a sós com os três irmãos na sacada do apartamento de Miami. Cristiane atribui ao pai as virtudes da compreensão e da paciência. Viviane lembra a capacidade de aconselhamento e de unir a liderança da igreja. Todos, porém, destacam como maior atributo a fé.

– É nossa maior herança – afirma a filha mais velha.

E não se esquecem da importância do papel da mãe.

– Ela nos ensinou a compreender o trabalho do nosso pai. Sempre foi nossa grande amiga – define Moisés.

'AS MENINAS'
Cristiane e Viviane saíram de casa cedo, mas se colocam em segundo plano em relação aos maridos

OS GENROS
Renato e Júlio seguem o trabalho religioso do sogro

– É a grande sustentação da família – completa Viviane, que, nos primeiros anos de vida, contou com a união no lar para superar uma deficiência de nascença.

Em 1975, Viviane nasceu com fissura labiopalatal, má-formação congênita popularmente conhecida como lábio leporino – mal que afeta uma em cada 650 crianças nascidas no Brasil. No dia seguinte ao parto, no final da tarde, Edir foi ao hospital, o Instituto de Assistência aos Servidores do Estado do Rio de Janeiro, o Iaserj – atendimento adquirido graças ao seu trabalho na Loteria.

O médico não havia autorizado a amamentação da mãe, sem dar maiores explicações.

– Logo desconfiei de que havia algo errado – lembra Edir.

Acompanhada do médico, a enfermeira trouxe a criança para o bispo.

– Levei um tremendo susto. A menina era um horror. Eu disse para mim mesmo: "Meu Deus, eu não quero esse 'monstrinho'!". Sua fisionomia era terrível. Eu imaginava o sofrimento que seria o crescimento daquela criança. Eu sabia o que era ser defeituoso. Imagine ela, então, menina, certamente vaidosa... Não, não queria. Preferia sua morte.

Ester não conseguia amamentar o bebê nem com mamadeira. Era preciso pingar o leite, gota a gota. O cuidado era redobrado. Certo dia, Viviane engasgou e quase desfaleceu, sufocada. Ao longo da infância, foi submetida a sucessivas operações. Com o passar dos anos, tinha dificuldade para falar. Contava sempre com a solidariedade da irmã mais velha. Hoje, Viviane é perfeita.

Naquela época, contudo, o problema da filha somou-se a outra indignação de Edir Macedo. Depois de doze anos como membro da Igreja Nova Vida, ele desejava tornar-se pregador evangélico. Mas a congregação não acreditava no bispo. Um dos pastores daquele tempo chegou a dizer para Ester que Edir "não tinha futuro".

– Havia um fogo dentro de mim que eu não conseguia controlar. Só em pensar, fico nervoso.

Ainda no hospital do Rio de Janeiro, após o choque de conhecer a filha, uma reminiscência de Edir Macedo.

– Eu e Ester choramos muito. Foi doloroso. Em meio ao choro, manifestei minha revolta e decepção. Ajoelhei na cama para orar e, num acesso de raiva, soquei a cama várias vezes. E determinei que, a partir daquele momento, iria deixar minha igreja e ajudar as pessoas sofridas como eu.

Pouco mais de um ano depois, nascia a Igreja Universal do Reino de Deus.

O PREGADOR

REGIMENTO DE PASTORES

Silêncio.

A reunião é reservada. O acesso, estritamente proibido.

Dois mil pastores e mulheres, alinhados nas poltronas, postura miliciana, esperam o início do encontro. Participam somente casais dirigentes de unidades da Igreja Universal no estado de São Paulo.

A disciplina é militar. Ninguém conversa, olha para o lado, distrai a atenção do outro, nem vai ao banheiro. Esquecer o celular ligado é motivo de reprovação em público. Na porta do templo, seguranças impedem a entrada de quem não faz trabalho religioso para a igreja.

Eles têm entre 25 e 60 anos. A idade dos pastores titulares não influencia a importância da função. Os casais sentam-se sempre juntos. A maioria veste-se bem. Homens de cabelos bem aparados e gel na cabeça. Mulheres sem o estilo chamado "crente". Nada de saia longa, cabelo comprido, rosto sem maquiagem.

A reunião se realiza na catedral de Santo Amaro, mas é exibida, simultaneamente, para o restante do Brasil e vários países, via sistema de videoconferência. Pregadores de outras vinte capitais e até do exterior assistem à preleção. Argentina, Estados Unidos, Inglaterra, Portugal, França, Venezuela, Equador, Colômbia e México. O fuso horário não atrapalha o recebimento da mensagem. O tema religioso, determinado para se pregar aos fiéis, deve ser repassado exatamente igual em todos os lugares.

Edir Macedo é quem vai dirigir a reunião. O bispo faz palestras para seus companheiros de púlpito, invariavelmente, todas as semanas. Trata de assuntos internos e de cunho bíblico. Pastores auxiliares, títulos de responsabilidade menor na pirâmide da Universal, têm reuniões à parte. Há ainda outros eventos fechados, em média duas vezes por ano, com os bispos que "comandam países".

A função de bispo, aliás, não é vitalícia. Qualquer um pode subir ou descer de posto por motivos de ordem moral. Edir Macedo começou juntamente com um colégio de pastores. Tempos depois, a equipe transformou-se em um colégio de bispos devido às necessidades de organização interna. E também, segundo Edir, para colocar em prática uma resolução da Bíblia, o livro sagrado da Igreja Universal. O bispo faz questão de citar a passagem: "É necessário, portanto, que o bispo seja irrepreensível, esposo de uma só mulher, temperante, sóbrio, modesto, hospitaleiro, apto para ensinar (...)". (1 Timóteo 3.2).

Antes do evento em Santo Amaro, em um dos escritórios anexos ao local, esperamos o horário da reunião ao lado de Edir. Conversamos sobre seu trabalho. O bispo se distrai. Pela janela, avista um grupo caminhando no estacionamento em direção à igreja. Mais de vinte ônibus-leito desembarcam pastores vindos apenas do interior paulista.

– Esse é o maior patrimônio da Igreja Universal.

Apenas no Brasil são cerca de 10 mil pastores e esposas. No mundo, estima-se que esse número dobre.

Os números dão sentido a algumas das perguntas mais intrigantes deste livro-reportagem sobre a vida do bispo Edir Macedo: como administrar uma instituição gigante, com milhares de homens e mulheres quase voluntários? Como controlar esse batalhão de gente no mundo inteiro? Como confiar cegamente em quem está, isolado, do outro lado do planeta? Como liderar com sucesso um contingente de seres humanos desse tamanho?

A reunião em Santo Amaro e as histórias deste capítulo podem sinalizar algumas respostas.

Edir Macedo desce do altar. Prega no mesmo nível dos seus pares de igreja. Veste calça social preta e malha branca, está sem gravata. Discorre sobre o talento do pregador.

– Eu sei que todos aqui querem desenvolver seu chamado. É normal.

Mas, se você não desenvolve uma igreja pequena, como pode desenvolver uma igreja grande? – pergunta o bispo.

E emenda:

– A igreja depende do pastor. A Igreja Universal começou sem televisão, sem rádio, com entrega de folhetos no meio da rua. Eu comecei sozinho, sem nada disso. Veja a oportunidade, e não a dificuldade. É o espírito do pastor que manda. É o espírito que você tem.

COLEGIADO
Reunião fechada para pastores: transmissão ao vivo para o exterior

Duas mil pessoas e um mesmo referencial: todas querem ser o bispo Macedo do futuro. Quando decide visitar uma de suas igrejas, por exemplo, logo começa o corre-corre.

– É questão de adrenalina – brinca Romualdo Panceiro, incumbido da organização geral do evento em Santo Amaro.

Os pastores admiram a história de Edir, espelham-se nele, e até o defendem com ímpeto. Nosso repórter fotográfico, Luiz Miguel Zúnica, quase foi vítima desse instinto de proteção. Ao disparar os *flashes*, foi barrado por dez ou onze pastores, que, por não saberem da reportagem, reagiram rapidamente. Um deles chegou a segurar seu equipamento.

– Em dezoito anos de profissão, nunca havia acontecido isso. Nem quando tive de acompanhar políticos importantes. Nem mesmo quando fotografei o presidente Lula no apartamento dele ou invadi a faixa de segurança para flagrar o presidente George Bush – conta Zúnica.

A palestra do bispo segue. De novo, o casamento. Edir Macedo reforça o valor da relação conjugal para quem decidiu pela vocação religiosa.

– Se sua mulher ou seu marido quiser sair da Igreja, diga para sair só. Ninguém de nós, inclusive eu, é obrigado a estar aqui. Foi uma opção pessoal. Ninguém foi obrigado a abandonar tudo. A salvação é individual.

Um dos pastores cochila na hora da pregação.

– Está com sono, meu filho? – pergunta o bispo, ao microfone. – Tem cama lá em cima.

O silêncio prossegue.

– Você é de onde? – Edir volta a perguntar.

– Barretos.

– É longe?

– Sim, senhor, 400 quilômetros.

– Saiu de madrugada?

– Sim, senhor.

Edir continua a reunião.

Já próximo ao encerramento, convida todos para rezarem, mas antes aplica uma injeção de ânimo no grupo.

– Pastor, este é seu momento, é sua chance. Eu já fiz o que tinha de fazer. Vocês são novos, têm muito a fazer. Chegou a hora de vocês.

Encontros como os de Santo Amaro também servem para tratar de assuntos internos extremamente delicados. Às vezes, de maneira surpreendente.

Em 2007, um dos bispos mais conhecidos, há dezoito anos na instituição, responsável pela Universal no Rio de Janeiro, foi desligado após cometer adultério. Romualdo Panceiro comandou o encontro, mais do que nunca a portas fechadas, para 2 mil pastores e mulheres daquele estado.

Antes, conversou por telefone com Edir Macedo, que determinou como deveria proceder.

Romualdo entrou no altar seguido pelo ex-bispo, já sem gravata – sinal de que algo estava errado. Após explicar o acontecido ao microfone, diante da perplexidade de todos, perguntou se as acusações eram verdadeiras. De cabeça baixa, ele confessou.

– Eu trouxe você aqui para olhar na cara desses pastores. Durante esse tempo todo você pregou a fidelidade para eles, não foi? Dizia que era importante ser fiel a Deus e a sua mulher. Dizia que a salvação de sua alma dependia dessa fidelidade, não foi? Porque é o que a Bíblia diz, é no que nós acreditamos, é o que nós vivemos. Você cobrou isso deles. E agora? – perguntou Romualdo.

O templo está mudo. Pastores atentos no altar.

– O que você tem a dizer para eles? E agora? – voltou a perguntar.

– Que me perdoem.

A estupefação continua. Romualdo encerra o assunto:

– Por favor, agora nos dê licença. Esta reunião é somente para homens e

NO RITMO
Edir Macedo escolhe as canções religiosas para o tecladista

mulheres de Deus, pastores da Igreja Universal. A partir de hoje, você não é mais nada na igreja.

O ex-bispo deixa o altar.

Pedimos a Edir Macedo uma explicação para o procedimento.

– Esse é o rigor da Igreja Universal. Nosso trabalho é de risco. Cair em tentação é coisa do homem, mas Jesus falou: "Orai para não cair em tentação". Nós ensinamos os pastores a se guardarem, a não correrem riscos. Que autoridade tem para pregar o Evangelho um pastor que caiu em adultério? Que autoridade ele tem para orientar alguém com problemas no casamento? É como os padres. Eles não podem falar sobre casamento, sobre filhos. Eles não têm família.

O bispo reforça a tese da ordem.

– A palavra é disciplina. Qual instituição não tem leis? Qual igreja, qual empresa, qual país? Se não há disciplina moral, não há disciplina espiritual. O Romualdo fez aquela reunião porque eu mandei.

Edir Macedo é, de fato, austero no cuidado com a igreja. Para manter as rédeas, implantou uma organização com funcionamento sistemático. Obreiros – voluntários que exercem atividades gerais – e pastores auxiliares chamam pastores titulares e bispos de senhor. Pastores titulares chamam bispos de senhor. Bispos chamam pastores titulares e auxiliares e obreiros pelo nome. E todos chamam Edir Macedo de senhor ou simplesmente de bispo.

– Não lembro o nome da maioria – diz ele.

Mas acompanha cautelosamente a estrutura de apoio montada para ancorar a estrondosa mão-de-obra voluntária. É um departamento pessoal com mais de 4.400 funcionários em todo o Brasil – mais de mil somente em São Paulo, de onde é possível administrar a rede no país inteiro. Cada pastor recebe moradia, assistência médica, plano odontológico e direito a lazer nos sítios da igreja, além da chamada "ajuda de custo" mensal. O valor é variável, como explicado no capítulo "Dinheiro na igreja".

– Há pastores e pastores, bispos e bispos. A maior injustiça é a igualdade. Os que mais se esforçam, jejuam, lutam pelo povo, crescem – explica Edir.

O dinheiro não está vinculado ao tempo de carreira.

– É questão de mérito pessoal. Se ele é de Deus, vai crescer. Se não é, não pode ocupar o lugar de outro.

Pastores da Universal nunca se aposentam.

– É uma vocação, não uma profissão. Enquanto tiver saúde, há espaço para ele. Os que ficam inválidos, por qualquer motivo, recebem auxílio.

O religioso precisa estar preparado para tudo. A qualquer momento. Nos anos 1980, na antiga igreja do Brás, em São Paulo, uma notícia irritou Edir Macedo. Ele tinha sido informado de que um de seus pastores havia realizado um casamento sem antes colher a assinatura dos noivos e das testemunhas. É regra interna na Igreja Universal o registro de ata oficial das cerimônias – que, aliás, não são cobradas. Furioso, Edir iniciou a habitual reunião fechada com seu corpo eclesiástico. De pronto, abriu o encontro com uma reprovação pesada ao esquecido pregador, o alagoano José Luiz da Silva, de 48 anos.

– Nunca tinha visto o bispo tão bravo. Ouvi tudo sem abrir a boca – conta ele, hoje responsável por 31 templos da Universal na Guatemala, país da América Central.

Ao fim da reunião, após a bronca, era momento de premiar as igrejas de maior crescimento no mês com o empréstimo de um carro para o pastor líder. Edir Macedo constrangeu-se. Foi obrigado a entregar o veículo ao que tinha acabado de levar um severo puxão de orelha.

– Eu fiquei totalmente sem graça – recorda o bispo.

O encontro encerrou-se ali.

Um breve vacilo pode, de fato, significar alteração de posto ou perda de oportunidade de crescimento. Numa viagem que fizemos com Edir Macedo ao Espírito Santo, houve um exemplo claro desse dinamismo nas decisões. Na chegada a Vitória, no caminho do aeroporto ao templo central, o bispo Macedo provoca um susto no pastor que tem o mando da Universal no estado.

– Sei que você tem cidadania européia – afirma, no banco de passageiro. – Arruma as trouxas. Você vai embora para Portugal. Vai auxiliar o Alfredo *(Paulo Filho, que comanda 120 templos naquele país).*

– Eis-me aqui – responde o pastor, pego completamente de surpresa.

O aprendizado começa cedo na organização. Os pastores são descobertos entre os obreiros – só no Brasil somam-se mais de 500 mil. Para ser consagrado bispo, maior título na graduação, não há idade mínima nem máxima, nem necessidade de escolaridade ou seminário.

– Não fazemos questão de que o sujeito tenha diplomas. Ele precisa ter espírito.

Antes de se tornarem pastores, os auxiliares – a maioria jovens entre 18 e 25 anos, inscritos no Iburd, o Instituto Bíblico Universal do Reino de Deus – passam por treinamentos práticos. Durante dois a três anos, assistem a cultos e absorvem experiências. Depois, são enviados como ajudantes de pastor, normalmente a lugares de baixa renda, com populações carentes. Seja no Brasil, seja fora do país, onde podem ficar por bons anos. São diversas etapas para crescer na rígida pirâmide da Universal.

– A igreja oferece oportunidade para todos. O pastor tem chance de aprender outro idioma, morar em outro país, casar-se, ter uma vida digna. Quem me dera que eu tivesse recebido essa oportunidade.

LUZ NA FUNERÁRIA

O exército de pastores liderado pelo bispo Macedo começou a ser arregimentado em 1975, ano em que fundou A Cruzada do Caminho Eterno, entidade que também se chamaria Casa da Bênção antes de mudar de nome definitivamente para Igreja Universal do Reino de Deus. Foi um tempo de vacas magras.

Naquela época, Edir Macedo saía de casa, todos os sábados, com um teclado simples, um microfone, uma caixa de som e uma Bíblia. Era o suficiente. Chegava no final da tarde no Jardim do Méier, subúrbio carioca, subia os sete degraus do coreto no centro do bairro e começava a pregar.

Discursava sob o pequeno telhado pontiagudo, sustentado por doze ripas de madeira. Juntava sempre um pequeno grupo de pessoas, normalmente curiosos que passavam pelo local arborizado. Pouco a pouco, alguns voltavam nos sábados seguintes, atraídos pelas palavras de Macedo.

O público nunca era dos maiores. E também não fazia idéia do significado daqueles momentos. Nascia uma das maiores igrejas evangélicas do planeta.

As reuniões da Cruzada do Caminho Eterno começaram a ficar lotadas. Além do coreto nas noites de sábado, passaram, então, a ser realizadas em um antigo cinema em frente: o Bruni Méier. Depois, num local maior: o cine Ridan, no bairro da Piedade, também na Zona Norte do Rio.

O bispo fazia incursões em diversas regiões cariocas, como Cidade de Deus e Largo do Anil. Percorria as comunidades pobres para atrair freqüentadores e promover batismos – para os evangélicos, a imersão na água é o símbolo público da conversão do devoto. Em um deles, em um morro pegado à cidade de Rio Bonito, um acontecimento incomum.

Edir transportava os fiéis de casa para o evento em seu fusca vermelho, recém-comprado com o curto salário da Loteria. A prestação do carro atrasava sempre. No mês em que pagava o fusca, atrasava o aluguel da casa, e vice-versa. Quando estava para perder o veículo na Justiça, driblava o dono do imóvel onde morava e quitava a dívida às pressas. O cuidado com o fusca era extremo. Nas folgas de sábado, passava o dia encerando cada detalhe do automóvel.

– Limpava até embaixo do pedal do freio – lembra ele.

No batismo em Rio Bonito, realizado num pequeno lago, formado com a sobra da caixa-d'água da cidade, Edir foi obrigado a subir e descer o morro várias vezes.

– Muita gente estava se batizando.

Ao final da cerimônia, horas depois de estacionar o carro, deu-se conta de que havia perdido as chaves do veículo. O corre-corre no morro foi inútil. A solução viria pelas mãos de um mecânico do local.

– Não tem como fazer ligação direta. Está travado. Só arrombando – dizia o moço, com uma talhadeira e uma barra de ferro nas mãos.

Era o adeus ao impecável fusca vermelho. Desolado, com a funilaria arranhada e o volante estropiado, Edir partiu para casa.

– Meu maior aprendizado foi nunca me apegar a nada.

Edir Macedo iniciou sua jornada ao lado do cunhado Romildo Ribeiro Soares, o hoje missionário RR Soares, que conhecera em 1968 na Igreja Nova Vida. Soares continua casado com Madalena, irmã caçula do bispo.

Os dois dividiam os cultos ao longo do mês. Quando o número de fiéis era abaixo do esperado, Soares, o líder naquela época, entregava a reunião para Edir.

– Eu ficava feliz da vida. Acostumei a pregar para pouca gente. Recebia o culto de coração aberto. Foi um trabalho de grão em grão – recorda. – Muitas pessoas foram conhecendo a igreja e nos ajudando.

Uma delas foi a família da economista Alba Maria Silva da Costa. Em 1976, quando ainda era estudante, ela sofria com os graves problemas de saúde da mãe.

O CORETO
Edir Macedo pregava sozinho nessa praça do subúrbio carioca Jardim do Méier

– Eu e meu pai fomos os primeiros membros da igreja. Edir era miúdo, mas transmitia muita fé – lembra ela.

– O bispo ajudou minha família para valer. Minha mulher vivia dopada, tomava calmante, tinha depressão, desmaiava, não saía da cama. Ele fez muitas orações por ela – conta seu Albino da Silva, pai de Alba.

A gratidão pelo suporte espiritual foi tanta que seu Albino tornou-se amigo próximo de Edir Macedo. E foi quem encontrou o imóvel que abrigaria o primeiro templo da futura Igreja Universal: o galpão de uma antiga funerária no bairro da Abolição.

Edir ainda trabalhava na Loteria do Rio de Janeiro, mas a carga de responsabilidades obrigou-o a uma decisão definitiva. Ele teria de abrir mão da carreira de dezesseis anos como funcionário público e da estabilidade garantida por lei. Os amigos e alguns parentes tentaram fazê-lo desistir da idéia.

– Alguns me disseram para não trocar o certo pelo duvidoso. Tomei a decisão sozinho. Eu disse para Deus: "Ou é ou não é. Ou tudo ou nada". Abri mão do trabalho, sem nenhuma garantia.

Mas para alugar a antiga funerária foi necessário um fiador. O valor era puxado: 9.530 cruzeiros, a moeda daquele período. Edir recorreu à mãe, que prontamente aceitou ajudar. Eugênia, que naquela idade era chamada de dona Geninha, colocou como garantia seu único apartamento, situado no bairro carioca de Fátima. Na hora da assinatura do contrato, o cunhado Soares apareceu. E tentou mudar o rumo da história.

– Dona Geninha, não faça isso. É loucura. Seu filho não vai conseguir pagar. A senhora vai perder o apartamento, não faça isso – disse Soares.

– Mas mãe é mãe. Ela assinou e fomos em frente – lembra o bispo, que, apesar do episódio, ainda não havia decidido romper com Soares.

No dia 9 de julho de 1977, foi realizado o primeiro culto na Igreja da Bênção, que dois anos mais tarde mudaria definitivamente de nome para Igreja Universal do Reino de Deus. Apesar da diferença de placa, instituiu-se, internamente, esse dia como data oficial do nascimento da Universal.

O galpão, que fica no número 7.702 da famosa avenida Suburbana, foi o lugar dos primeiros grandes eventos da Universal. Mais tarde, a igreja

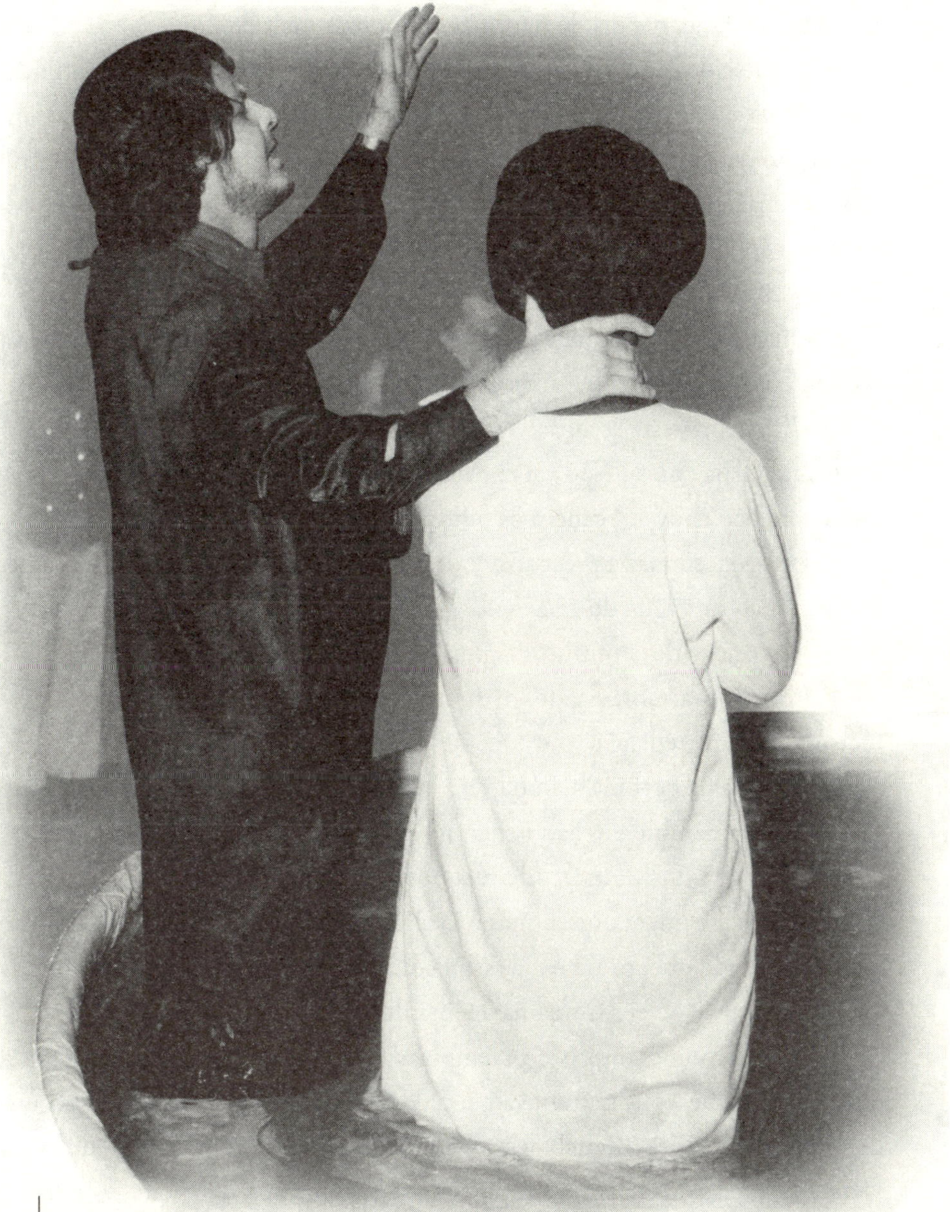

NASCE UMA IGREJA
Batismos em locais públicos marcaram início da Universal

mudou-se para outro prédio maior na mesma avenida, a poucos metros dali – até hoje um dos mais antigos em funcionamento. Inicialmente, recebia até 1.500 fiéis, e hoje, depois de reformas, comporta mais de 2 mil.

Conhecidos antigos e os primeiros seguidores contam situações atípicas vividas pelo então pastor Macedo. Como no dia em que pregou sobre um caixote, no estacionamento de um supermercado em Jacarepaguá, também no Rio. Era mais um culto em área pública para atrair fiéis à igreja. O dia estava escuro, já era final de tarde. A chuva prestes a desabar. Edir não se intimidava. Rezava e discursava sem parar.

Quando percebeu que sua platéia, pouco mais de trinta pessoas, olhava insistentemente para o céu e ameaçava ir embora, chamou a atenção de todos.

– Pessoal, preste atenção! Vocês não vão precisar sair daqui. Eu determino que não haja chuva! Não vai chover, gente! Podem ter certeza! Eu vou orar agora para não chover. Fechem os olhos.

Edir Macedo faz a prece. Estende as mãos para o alto e, fervorosamente, reza para não cair água do céu.

Menos de trinta minutos depois, desaba a chuva.

Em meio à tempestade, os fiéis deixam o estacionamento do supermercado em Jacarepaguá.

Após mais de uma década, em um evento de grandes dimensões no Estádio do Pacaembu, em São Paulo, novamente a chuva ameaça "atrapalhar" a cerimônia de Edir Macedo. Ele reza novamente para não chover.

– Acredite quem quiser, mas não choveu naquele dia. Choveu em várias partes da cidade, menos na região do Pacaembu. A reunião foi extraordinária – conta o bispo. – Deus funciona apenas de acordo com a fé.

Não demorou muito e o templo da Abolição ficou pequeno para a quantidade de fiéis que se juntavam a cada reunião. Assim, foi aberto o segundo templo, em Padre Miguel, dessa vez em um terreno próprio. Na seqüência, vieram as igrejas de Grajaú, Campo Grande, Duque de Caxias e Nova Iguaçu, na Baixada Fluminense, todas no Rio de Janeiro.

Em 1980, uma cisão. Soares e Edir decidiram romper. Havia discórdias no direcionamento da igreja, que já contava com quinze pastores. O bispo, então, propôs uma assembléia excepcional para decidir quem seria o novo comandante da Universal. O que perdesse renunciaria à liderança.

A votação ocorreu no dia 7 de junho de 1980.

Renato Maduro, até hoje bispo da igreja, fez a contagem dos votos.

– Eu contava, torcendo pelo pastor Macedo. Sempre achei que o Soares não tinha capacidade para ser líder.

Paulo Roberto Guimarães, atual responsável pela Universal no México, tinha se casado naquele dia. Foi convocado em cima da hora para votar.

– Depois de realizar meu casamento, no final da cerimônia o bispo me chamou a um canto e disse que eu deveria estar presente a uma reunião extraordinária. Não entrou muito em detalhes. Deixei minha esposa no salão de festas e corri para a igreja – lembra Guimarães. – Líder é aquele que forma discípulos, ensina, exorta e coloca a mão na massa. Era o que o bispo fazia.

O então pastor Macedo ganhou por 12 votos a 3.

Após a derrota, Soares não quis permanecer. Nos dias de hoje, Edir e o cunhado pouco se falam. De tempos em tempos, o bispo recebe reclamações de que Soares tenta atrair fiéis da Universal, enviando emissários para divulgar suas doutrinas dentro dos próprios templos de Macedo. Procurado para falar sobre o assunto, RR Soares preferiu não se manifestar. Por meio de sua secretária, disse não ter espaço na agenda.

– Ele vai aonde eu vou. Busca gente em nossa igreja em vez de pregar lá fora, onde há tantas pessoas sofridas. Mas não tem problema...

A partir de 1980, três anos depois do primeiro culto, dezenas de outras unidades da Igreja Universal foram abertas em vários pontos do Rio, de São Paulo e por todo o Brasil.

– Era um grupo de amigos pastores que pregavam o Evangelho juntos. Uma família – lembra Tânia Maduro, mulher de Renato e uma das primeiras a freqüentar a igreja.

Os dois, aliás, foram os primeiros a se casar na Igreja Universal, em fevereiro de 1979 – a cerimônia número 1 feita pelo bispo Macedo ainda no prédio da antiga funerária.

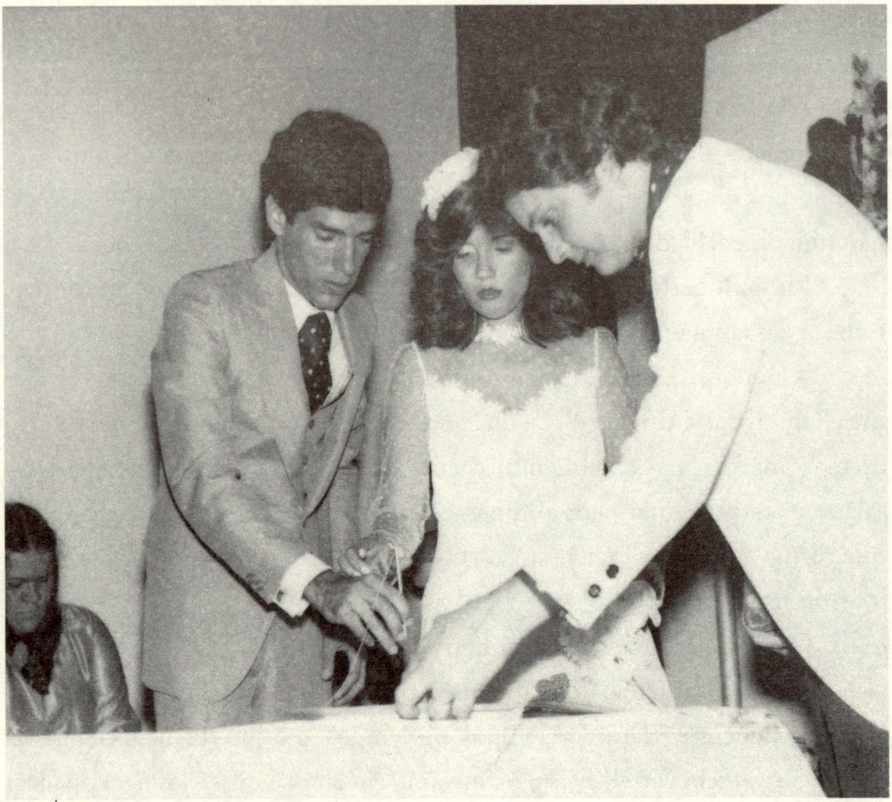

PRIMEIRO CASAMENTO
Renato Maduro e Tânia casaram-se em 1979; Edir Macedo presidiu o ato

Uma das tradições nos primeiros passos da instituição era estimular com intensidade o casamento entre os freqüentadores. Edir Macedo e Ester faziam isso pessoalmente. O bispo chegou a criar eventos especiais para unir os fiéis e promover namoros e noivados.

No período de execução deste livro-reportagem, em entrevistas ou conversas descontraídas com mulheres de pastores antigos, todas contam a mesma versão: quando eram simples seguidoras, foram estimuladas a se casar com membros que desejavam seguir o caminho da pregação. Foi assim com a carioca Ângela Vieira, ex-secretária de Edir Macedo, também nos tempos da Abolição. Ela encontrou o marido numa cerimônia comandada pelo próprio bispo, num domingo à tarde, em agosto de 1984.

Era uma reunião na Universal chamada de "encontro sentimental", que, nos dias atuais, ganhou o nome de "terapia do amor". O templo não comportou tanta gente. A certa altura, Edir convidou os solteiros a aproximarem-se do altar. E fez a divisão: mulheres de um lado, homens do outro. Marcus Vinicius Vieira, então pastor galã da igreja, ganhou a esposa naquele domingo.

– Dois meses depois, comecei a namorar a Ângela. Noivamos e casamos em um ano. Hoje são 22 anos juntos, com direito a duas filhas – conta ele.

Romualdo Panceiro assistiu à mesma reunião como freqüentador. Ainda era solteiro.

– Os homens estavam tímidos para se declarar – lembra Romualdo, nostálgico. – Eram momentos especiais. Muita gente casou na Igreja Universal dessa forma. São milhares de casais, no Brasil inteiro, que se formaram dessa maneira.

Edir Macedo era conhecido pela audácia. Ele já externava suas convicções.

– Desde aquela época, o bispo dizia que iria espalhar sua igreja pelo mundo. Ele falava em ter rádio, televisão, um grupo de comunicação forte. Ele falava para meu pai: "Seu Albino, eu vou ter um canal de tevê". Meu pai não acreditava e ria. E a igreja continuava crescendo, cada vez mais forte – conta Alba.

– Nunca imaginaria que pudesse ficar desse tamanho. Cresceu muito e de forma rápida – diz seu Albino.

– Ele repetia que a obra ia longe – recorda Péricles dos Santos Pellegrini, de 72 anos, atualmente o pastor mais idoso da Universal.

Seu Péricles tornou-se um dos primeiros membros. Ele e sua esposa, uma das primeiras quatro obreiras, viram Edir Macedo pela primeira vez ainda na antiga funerária.

– Tudo muito pequeno e simples. Mas a dedicação do pastor Macedo me chamou a atenção.

A persuasão do bispo aliava-se a seu carisma, combinação que seduzia ainda mais novos freqüentadores. Edir Macedo tinha cabelos compridos. Fotos antigas registram-no comandando cultos e batismos com uma farta cabeleira. Uma marca registrada na época em que ninguém imaginava a trajetória que ele iria percorrer.

'BOSSA-NOVA'
Moda dos anos 1970, a longa cabeleira reforçava o carisma que atraía fiéis

– Os vizinhos me disseram: "Lá na Abolição tem um pastor bossa-nova muito bom" – conta Luiz Costa de Albuquerque, de 74 anos, outro dos primeiros adeptos da Universal, que procurou a igreja "em busca de socorro espiritual".

Situações corriqueiras aproximavam Edir dos fiéis. Como no dia em que uma barata, o pavor assumido por ele, subiu no seu ombro em plena pregação. Seu Albino tentava a todo custo avisar o pastor, sem sucesso. O bispo estava concentrado na oratória e não lhe dava atenção. Até que interrompeu o culto.

– O que foi, Albino? – perguntou, afastando o microfone.

– Pastor, tem uma barata no ombro do senhor.

O grito de Edir Macedo ecoou pelo templo. A igreja caiu no riso.

A carioca Vera Lúcia da Silva Vieira, de 63 anos, uma fiel antiga, estava no templo nesse dia. E recorda outro episódio.

– Eu estava sentada na primeira fileira da reunião do bispo Macedo. Enquanto ele falava, um obreiro, que estava atrás de mim, deu um espirro e a dentadura dele pulou para o chão. Foi parar nos pés do bispo. Ele não conseguia deixar de rir – conta ela, ex-seguidora do espiritismo, que por pouco não cometeu suicídio devido aos problemas de saúde e à desilusão no casamento.

Edir tratou pessoalmente de Vera e do marido, o ex-deputado federal Laprovita Vieira, personagem-chave na compra da Rede Record, anos mais tarde, como vai revelar o capítulo "Xadrez pela Record".

– Eu queria ter um casamento bom. A união dele com Ester, para mim, era sinônimo de felicidade – afirma Vera.

Mas esse também foi um período de tristezas, em que Edir Macedo sofreu traumas, segundo ele, inesquecíveis.

Passava das 6 da manhã quando deixava sua casa para apresentar um programa de rádio. A rua onde morava em Petrópolis, no alto da serra fluminense, ficava em um dos maiores declives da região. O motorista tinha acabado de encher o tanque de gasolina do recém-adquirido Alfa Romeo. O bispo mal havia sentado no banco de passageiros quando levou um tranco. O motorista, ainda não acostumado às marchas do novo carro, acelerou ladeira abaixo. O Alfa Romeo capotou várias vezes até parar de rodas para o ar.

Edir foi lançado para fora do automóvel. E desmaiou.

– Fiquei atordoado. Não conseguia me levantar – ele relembra, ao recobrar a consciência, com a imagem do combustível vazando do tanque do carro.

Edir Macedo sofreu fraturas graves. Quebrou um braço e luxou gravemente o outro. Teve ferimentos por todo o corpo.

– Foi bem sério. Quando soubemos, corremos para ver como ele estava – conta Renato Maduro, que acompanhou o bispo ao hospital.

– O motorista me chamou em casa e disse que Edir estava morto. Corri para onde estava o carro e sorri de alívio e nervosismo – recorda Ester.

Mesmo enfaixado, Edir não se ausentava das reuniões. Aparecia na igreja da Abolição com os braços engessados, provocando curiosidade nos freqüentadores. Da mesma forma que, certo dia, surgiu no altar em uma cadeira de rodas, com uma das pernas imobilizada. Dessa vez, porém, não havia sido um acidente, mas uma briga. Isso mesmo: uma briga do bispo com um arruaceiro em pleno templo.

– Bispo! Bispo! Corre, tem um homem aí atacando as obreiras – avisou o pastor auxiliar.

Edir Macedo, franzino, apareceu no fundo da igreja. Entre os corredores, um rapaz corpulento, com distúrbios psiquiátricos, ameaçando atacar fiéis com uma tesoura. O bispo correu em direção ao desordeiro e lhe desferiu um

ABOLIÇÃO ANTIGA
Em pouco tempo, local alugado no subúrbio carioca ficou pequeno

chute na barriga. Perdeu a consciência pela dor de uma das pernas quebrada. O entrevero serviu de inspiração para o discurso no púlpito.

– Sabe o que é isso, gente? Eu não fui prudente, como ensina a Bíblia – pregou para 2 mil seguidores.

Dias depois, em um domingo à tarde, o bispo repousava em casa com a perna para cima quando sua mulher, Ester, foi vítima de um seqüestro-relâmpago. Pela janela, Cristiane, a filha mais velha, observou a mãe regressar com o carro, estacionar na calçada e, num rompante, sair novamente. Instantes depois, a notícia: uma das vizinhas testemunhara Ester ser assaltada e arrastada para dentro do automóvel.

– Foi um desespero. Mal conseguia ficar de pé, mas saí pelas ruas como um louco.

Após horas circulando pelo bairro, ao retornar para casa, Edir finalmente encontrou Ester. Ela havia sido libertada pelos criminosos a poucos quarteirões de onde fora rendida.

A experiência deixou seqüelas. Tempos depois, temeroso da violência e das ameaças sofridas por religiosos inimigos, o bispo Macedo decidiu usar arma. Passou a andar com um revólver calibre 38, que, muitas vezes, permanecia escondido no púlpito enquanto pregava no altar.

Edir conta que, mais tarde, ao escrever um de seus livros evangélicos, sofreu uma crise de consciência. Parecia ouvir uma voz que o acusava por não acreditar na "proteção divina".

– Era como se o diabo estivesse na minha frente falando para Deus: "Ele crê em ti, mas anda armado. Que fé é essa?".

O bispo afirma ter sido radical.

– Parei de escrever o livro na hora e falei para Deus: "Não vou andar mais com arma. Mas, se o senhor não guardar minha vida, vou comprar uma metralhadora".

Daquele dia em diante, abandonou o revólver.

– Não sou a favor do porte de armas. E aconselho sempre os membros a não reagir a assaltos ou a qualquer tipo de violência.

Os anos 1980 foram uma década positiva para a política expansionista de Edir Macedo. Em 1980 também foi aberto o primeiro templo no exterior, em Mount Vernon, em Nova York, nos Estados Unidos. Era o início do avanço internacional: Argentina, Portugal, Estados Unidos, México e África do Sul.

O crescimento no Brasil foi rápido. Em oito anos, já havia 195 templos em catorze estados brasileiros e no Distrito Federal. Em média, 24 templos por ano, dois a cada mês. Um a cada quinze dias.

RECOMEÇO NOS EUA
Em Manhattan, nos anos 1980, pregação para poucos fiéis

– Entre 1980 e 1989, o número de templos cresceu 2.600%. Em menos de três décadas, a Universal se transformou no mais surpreendente e bem-sucedido fenômeno religioso do país. Nenhuma outra igreja evangélica cresceu tanto em tão pouco tempo no Brasil – avalia Ricardo Mariano, doutor em sociologia e professor de pós-graduação em ciências sociais da Pontifícia Universidade Católica do Rio Grande do Sul.

Em São Paulo, a primeira Universal foi aberta em julho de 1980. Era um prédio velho na avenida Doutor Gentil de Moura, no coração da cidade. Na Bahia, o primeiro templo funcionou na rua do Tijolo, no subsolo de um edifício chamado Themis, no centro da capital baiana. O lugar era quente. Fervia nos cultos durante o dia e ficava infestado de moscas e ratos à noite.

Desde a fundação da igreja, Edir Macedo implantou com agressividade discursos que estimulavam os fiéis a não se acomodarem com a pobreza, o desemprego e as más condições de vida em geral, temas abordados sem ressalvas no capítulo "Dinheiro na igreja".

– O bispo nunca aceitou ensinar o povo a cantar "eu sou pobre, pobre, pobre, de marré, marré, marré" – conta o senador Marcelo Crivella, que começou na Universal ainda na adolescência e, tempos depois, já como pastor, viveria longo período nos países africanos. – Ele nunca aceitou que a igreja fosse instrumento de poder das elites. Coube às pessoas decidirem: ou vamos acreditar no que o bispo está dizendo ou vamos acreditar na elite.

Crivella recorda, nesse período, o dia em que Edir Macedo recebeu convite personalizado de Roberto Marinho, dono das Organizações Globo, falecido em agosto de 2003, para participar da festa de restauração do Cristo Redentor. O monumento havia recebido novo sistema de iluminação por meio de uma parceria entre a Fundação Roberto Marinho, a Mitra Arquiepiscopal do Rio de Janeiro, o Ibama e algumas empresas privadas.

– Era um período em que a Globo estava muito forte, quando o

PETROLINA, PERNAMBUCO
Universal espalhou-se rápido pelo Brasil

presidente José Sarney chamava Roberto Marinho de "doutor". Mas o bispo não quis ir. Disse para mim: "Se ele quiser falar comigo, que sente lá na (*igreja da*) Abolição, no meio das pessoas pobres, aflitas. E não vamos guardar lugar, não".

Os chamados "testemunhos de transformação de vida" já pontuavam o crescimento da organização criada por Edir Macedo. Um dos mais marcantes para o bispo, naqueles anos, foi o de um jovem carioca que, segundo contava, comia cadáveres em cemitérios em rituais de bruxaria. O rapaz dizia ter jurado o bispo de morte. Processado por levar o depoimento ao ar na antiga Rádio Metropolitana, durante a programação da Universal, o bispo Macedo acabou inocentado pela Justiça. O motivo da decisão: o juiz considerou Edir e o jovem carioca portadores de desequilíbrio mental.

Ouvir vozes e ver vultos, feridas por todo o corpo, desmaios contínuos, alteração profunda de estado emocional, insônia e dores de cabeça sem explicação médica. Pacientes de todos os tipos, de doenças físicas a psicossomáticas, entupiam em especial o templo da Abolição. Não era raro faltar espaço nos bancos para os novos freqüentadores, a maioria ex-adeptos do espiritismo. As paredes gotejavam com o calor da multidão aglomerada nas reuniões do pastor Macedo.

TÁTICAS DE SERMÃO

As multidões fazem parte da história da Universal. A primeira concentração popular de vulto foi na Quinta da Boa Vista, em São Cristóvão, no Rio. Depois vieram os ginásios do Olaria e o estádio do Bangu, conhecido como Moça Bonita. Em seguida, houve múltiplos eventos no Maracanãzinho. Até dar um passo maior: alugar o Estádio do Maracanã, tornando a Universal uma das primeiras denominações evangélicas a encherem um estádio com aquelas dimensões.

As vultosas reuniões do Maracanã fazem parte das recordações de Edir Macedo. Era um tempo em que o bispo já atraía gente interessada em curas dos mais variados problemas de saúde. Os estádios se enchiam de paralíticos, deficientes auditivos, depressivos, suicidas e portadores de outros tipos de doença. Era comum o bispo convidar os fiéis com dificuldades de visão a abandonarem os óculos em pleno culto.

– Quem tem fé? – perguntava à multidão.

O eco assemelhava-se aos brados de uma torcida de futebol.

– Euuuuu!

– Eu vou orar. Depois, se você crer, coloque os óculos e veja se enxerga direito. Se os óculos atrapalharem sua visão, pode jogar fora. Você está curado!

O bispo Macedo rezava com mais de 100 mil seguidores. E os eventos terminavam sempre com centenas de óculos estilhaçados, esparramados pelo gramado e pelas arquibancadas.

A carioca Nélia Ferreira Baraúna, de 51 anos, estava lá. Ela e sua família são seguidoras antigas das concentrações promovidas por Edir Macedo. Sua

NO CAIXOTE
Ginásio do Olaria Atlético Clube, no Rio de Janeiro: a primeira concentração

mãe, fiel desde os tempos do coreto do Méier, estava no primeiro grande evento da Universal, no estádio do Olaria, em 1978.

– Quando vi a multidão pela primeira vez, fiquei tocada. A fé daquele pastor e do povo que lotou o ginásio me fez bem. Fiquei em paz – lembra Nélia.

Logo passou a trabalhar nas funções administrativas da igreja, que começavam a ganhar volume com o aumento de membros e pastores.

– Desde o início, sempre foi assim. O bispo cria em cima do absurdo. Tudo muito ágil e objetivo.

Nélia, cujo sonho na época era encontrar um marido, viveu esse relâmpago de fé. Com o apoio de Edir e da mulher, conheceu o namorado na Universal e casou em apenas quatro meses.

– Eu achava ele feio. Mas já estamos casados há 23 anos.

Já no décimo aniversário da igreja, um megaevento denominado "Duelo dos Deuses" lotou simultaneamente diversos estádios no país inteiro. No Rio de Janeiro, 250 mil pessoas entupiram o Maracanã e o Maracanãzinho ao mesmo tempo.

Seguiram-se dezenas de grandes concentrações pelos dez anos seguintes, impressionando especialistas em religião, autoridades e a imprensa. Recordes de público em outros estádios, como dezenas de vezes o Morumbi e o Pacaembu, em São Paulo; o Fonte Nova, em Salvador; o Mineirão, em Belo Horizonte; além do Pinheirão, em Curitiba, e o Mané Garrincha, no Distrito Federal. A quantidade de gente era comparável somente ao público dos clássicos de futebol dessas cidades.

As areias de praias do Rio de Janeiro e da Bahia também viraram cenário para as reuniões de grande porte. Em Copacabana, no final de 1988, a Prefeitura vetou a utilização de equipamento de som. Mas isso não cancelou a cerimônia. A concentração de Edir Macedo foi transmitida aos milhares de presentes, ao vivo, pela Rádio Copacabana. Em Salvador, a mesma situação. A rádio levou aos "ouvintes-fiéis" o culto, que se realizou embaixo de um intenso pé-d'água. Os guarda-chuvas do público em movimento lembravam passos de frevo, a dança típica do Nordeste.

Em abril de 2004, Edir Macedo realizou o mais numeroso de seus megaeventos: 1,5 milhão de fiéis lotaram o Aterro do Flamengo, no Rio.

– É maravilhoso. Só que prefiro ensinar para pouca gente. Quanto menor o número de pessoas, melhor a pregação. Quando estamos longe, as pessoas ficam dispersas. Não faço questão de multidões. Quero falar de Jesus.

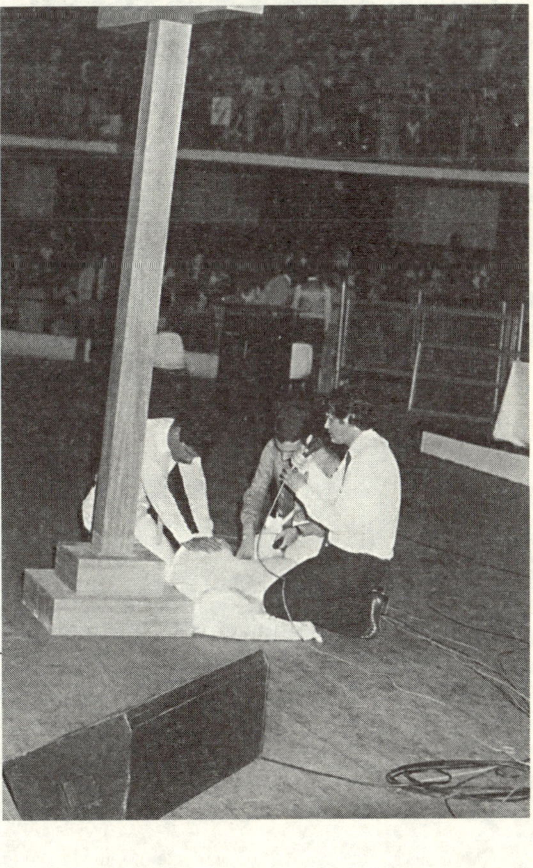

RUMO AOS ESTÁDIOS
Começou no Maracanãzinho a série de eventos que acabaria por lotar grandes estádios no Brasil

Edir não faz idéia da quantidade de cultos que já realizou na vida. Mas guarda *flashes* de sua marcha. Como os dias em que começou a pregar num hospital de paraplégicos no bairro de Benfica, no Rio. Edir passava os sábados rezando pelos doentes.

– As melhores reuniões que fiz na vida foram para poucas pessoas, na Abolição. Eu estava começando, tinha pouca experiência.

ATERRO DO FLAMENGO, 2004
Um milhão e meio de fiéis no Rio de Janeiro: um dos maiores eventos

Ele acredita que os cariocas e os africanos em geral são mais receptivos aos sermões.

– Talvez pelo sofrimento.

E se realiza mesmo ao pregar no Brasil.

– É a terra dele, o seu povo – diz Ester, a esposa.

Mesmo após a consolidação da igreja, nos anos 1990, o bispo Macedo voltou a enfrentar igrejas vazias. Foi nos Estados Unidos, na ilha de Manhattan.

No início, não juntava mais de quinze fiéis nos domingos em que distribuía comida. O templo da Universal Church of the Kingdom of God ficava na Segunda Avenida, num território perigoso, vizinho à sede de um grupo de motoqueiros *heavy metal.*

– Um dia, chamei na frente do altar quem desejava receber o Espírito Santo. Ninguém se levantou. Na hora, chamei a Ester e as crianças. E orei por eles.

A passagem sinuosa marcou Edir. Quando saiu do Brasil, reunia-se habitualmente com 2 mil fiéis no templo da Abolição. Foi um choque. Um reinício.

– Passamos por uma prova. Ester deixava o culto chorando.

– No Brasil, há milhões de pessoas precisando. Aqui só cinco pessoas, Edir – dizia ela.

– Espera, você vai ver – argumentava o bispo, acalmando a mulher. – Até hoje, temos resultados dessas reuniões – ele observa.

– Eu conheci a igreja naquele lugar. Foi uma fase difícil de esquecer, fui muito ajudado na parte espiritual – lembra Delmar Andrade, primo de Edir, que o reencontrou casualmente após dez anos em Nova York. Mais tarde, já bispo, seria coordenador de variadas atividades, entre elas a de iniciativas sociais nos Estados Unidos, como a distribuição de comida para os bombeiros no resgate às vítimas do ataque terrorista ao World Trade Center.

O bispo Macedo é conhecido como um orador nato, além de colecionar diversas graduações em teologia. Em São Paulo, num dos corredores de seu escritório, mostra-nos os diplomas pendurados na parede. Doutor em filosofia cristã, mestre em ciências teológicas, doutor em divindade, bacharel e doutor em teologia. Mas parece não dar muita importância aos títulos.

– Hã, doutor em divindade... Quem pode entender Deus?

Os atributos surgem quando ele pisa no altar. Voz mansa, passos lentos de um lado para outro, mãos em movimentos vagarosos, linguagem coloquial, discurso direto. Duas perguntas entremeiam suas falas sempre: "Sim ou não?" e "Amém?". O tom da oratória acompanha o sentido da mensagem. Amor e perdão, brandura. Sacrifício e fé, vigor.

DIPLOMAS NA PAREDE
– Doutor em divindade? Quem pode entender Deus?

Na preparação desta reportagem biográfica, assistimos a dezenas de palestras do mais famoso dirigente neopentecostal do Brasil. A observação revelou o ponto forte de suas mensagens: exemplos fáceis, comparações simples e uma convicção desmedida em suas palavras.

– Você diz que sua vida não dá certo por falta de sorte. Eu quero que a minha sorte vá para os quintos do inferno. Não é a sorte que muda a vida. É a fé.

Edir cita a gravidez para explicar a vontade divina.

– "Deus me deu uma criança." Deus não deu coisa nenhuma. A criança nasce por vontade do homem. Ponto, mais nada. O resto é história. Assim é a vida com Deus: o que você planta, você colhe. A vida não é feita de sorte ou azar. A vida é o que você planta.

Por vezes, vale uma argüição. Os fiéis querem fotografar Edir Macedo em pleno culto.

– Espero que você não tenha vindo aqui tirar foto de mim. A minha foto não vai mudar sua vida.

Microfone sem fio, pendurado na orelha direita, torna-se incisivo ao falar sobre sua crença.

– Sua vida não depende do governo, do patrão, da economia, de nada. Você é livre para conquistar. Ele não quer que você seja um "bíblia". Eu venci porque tomei uma atitude, eu coloquei minha fé em prática.

Edir "dá um nó" em seu público. Pergunta às pessoas se estão sentindo a presença de Deus.

– Eu não estou sentindo – afirma, enxuto, para logo explicar:

– Eu não sinto Deus, mas tenho certeza absoluta de que Ele está neste lugar. Isso se chama fé. Ter fé é diferente de sentir ou deixar de sentir alguma coisa. É crer, ter certeza absoluta, e fim. Uma coisa é sentir, a outra é ter certeza. Eu tenho certeza de que Deus está neste lugar, mas não estou sentindo nada.

ECO NA IGREJA
– Você está sentindo Deus? Eu não estou

E completa:

– Sua felicidade não está do lado de fora. Está dentro de sua cabeça, dentro de si, quando você medita. A miséria está na cabeça das pessoas.

Edir pede aos fiéis para dizerem amém. E pergunta:

– Por que você disse amém? Porque eu disse? Só por isso? Esse é seu problema. As pessoas não usam a cabeça, obedecem cegamente. Aonde você vai chegar se não pensar, se não raciocinar?

O trabalho de observação dos últimos catorze meses também revelou essa característica nos discursos de Edir Macedo: uma recorrência contínua à associação entre fé e inteligência. Selecionamos cinco formas de expressão que exemplificam esse ponto da oratória.

Conflito entre razão e emoção

– Há um constante conflito dentro de você. Razão *versus* emoção; mente *versus* coração; espírito *versus* alma. Por que um cirurgião médico quase nunca opera o próprio filho? Já reparou nisso? Por quê? Porque o amor de pai, que é um sentimento do coração, pode interferir no exercício de sua profissão, em sua capacidade científica.

Fé não é emoção. É certeza

– Se você estiver buscando sentir emoção, sinto muito. Seu lugar não é aqui. Você deve ir ao cinema, ao teatro, a um estádio para assistir a uma partida de futebol ou mesmo a um circo. Não à Igreja Universal! Fé é certeza, convicção.

Emoção dá bem-estar, mas não resolve

– A alegria, o choro de contentamento, a autopiedade, o entusiasmo são fortes emoções. Trazem sensação de bem-estar, mas não resolvem problema nenhum. Pense! O que muda sua vida é o exercício da fé sobrenatural.

Fé inteligente e prática

– A fé inteligente busca a razão da fé. Você não deve aceitar as mazelas da vida como uma punição de Deus, um carma, um castigo ou simplesmente porque não merece. A fé não é emoção, mas uma prática de comunhão com Deus. Não tem a ver com tradição religiosa. Eu não sou estúpido de acreditar em um Deus que não funciona.

Moeda de troca com Deus

– Quando fazemos um pedido a Deus, ele não nos atende por causa de nosso choro, de nossas necessidades ou de nossas dores. Muita gente até acha que pode chamar a atenção de Deus ao praticar caridade ou ser bondosa. A única "moeda de troca" com Deus é nossa fé. Quem crê recebe, quem não crê não recebe.

Depois de pregar, Edir sempre reza. Os freqüentadores lotam a frente do altar. Entra o fundo musical. Em várias de suas reuniões no Nordeste brasileiro, ele fez prece pelos que "foram aliciados, vítimas de estupro, fizeram abortos, estão oprimidos".

Perguntamos ao bispo sobre suas táticas de pregação.

– Jesus cuspiu no chão, fez o lodo e passou nas vistas do cego. Uma ação inusitada. Para quê? Para despertar a fé das pessoas. É assim que eu faço.

MANUAL DO EXORCISMO

Além da pregação diferenciada de Edir Macedo e seus pastores, a Igreja Universal é conhecida pelo desassombro de suas doutrinas – espelho leal dos pensamentos do bispo. Os métodos mais debatidos sempre foram a coleta de dízimos e ofertas, de que vamos tratar em detalhes no capítulo "Dinheiro na igreja", e o exorcismo.

Alguns símbolos cristãos e judaicos estão presentes no dia-a-dia da Universal. A cruz, o candelabro, o óleo representado por azeite, o pão, o sangue simbolizado por suco de uva. A inscrição na fachada e no altar das igrejas é ordem expressa de Edir: o egrégio "Jesus Cristo é o Senhor".

– O nome da instituição sempre foi menor na frente das igrejas. E meu nome nem deve aparecer, diferente de outras denominações evangélicas.

Alguns lugares também são tidos como sagrados: Israel e o Monte Sinai, no Egito, para onde são organizadas duas peregrinações anualmente. É quando ocorre uma espécie de cadeia de preces intitulada "Fogueira Santa".

Viagens para Jerusalém, aliás, transformaram-se quase em rotina para os seguidores da Igreja Universal e para Edir Macedo. Tanto que proporcionaram ao bispo, por duas vezes, homenagens oficiais do Estado de Israel. A primeira foi em 1997, quando ele desembarcou no país com uma enorme delegação de fiéis, para comemorar os vinte anos da igreja. O então prefeito da cidade, Ehud Olmert, que governou Jerusalém durante dez anos e atualmente é o primeiro-ministro de Israel, condecorou Edir. Olmert foi visitar os brasileiros para saudá-los oficialmente. No ano seguinte, foi convocado para uma visita ao gabinete do então ministro do Turismo, Moshe Katsav. Ele foi

BISHOP MACEDO
Edir e fiéis da Universal são recebidos por autoridades de Israel, como o ex-presidente Moshe Katsav

eleito presidente de Israel em 2000 e permaneceu no poder até 2006, quando foi destituído do cargo. Foi substituído por Shimon Peres.

As chamadas "correntes" foram outra mola propulsora da Universal. Estipular uma área específica da vida humana para rezar em cada dia da semana atraía gente interessada em resolver os mais variados problemas.

– Somos um pronto-socorro. Quando alguém sofre um acidente grave, não há tempo para assepsia. É preciso primeiro salvar o paciente. Não há tempo para limpar os ferimentos. Só depois dos primeiros socorros, da operação, do tratamento de emergência. Na igreja é assim: precisamos primeiro libertar as pessoas para depois ensinar-lhes a Bíblia.

– A Universal, conforme a tradição cristã, empenha-se em realizar a idéia de missão: "Ide por todo o mundo e pregai o Evangelho a toda criatura". Além de oferecer cultos diários em seus templos, a igreja possui "núcleos", espaços alugados onde realiza uma ou duas reuniões semanais – afirma Eric Kramer, doutor em antropologia sociocultural pela Universidade de Chicago, nos Estados Unidos, em artigo publicado em junho de 2003 na revista de ciências sociais *Civita*.

As unidades religiosas sempre funcionaram intensamente. Abrem para a realização de quatro cultos por dia, de 7 da manhã às 10 da noite, de domingo a domingo.

Os rituais de descarrego são os campeões de público. E sempre foram, desde a fundação, o principal ímã da Universal. Edir teve como inspiração um antigo pastor de uma instituição pentecostal chamada Casa da Bênção. Nos anos 1970, ele já liderava os chamados "cultos de libertação espiritual".

– A experiência da Igreja Universal foi aprimorando nosso trabalho de libertação ao longo dos anos. Jesus mandou embora os demônios do Gadareno (*episódio bíblico em que Jesus encontrou um homem endemoniado na província de Gadara*). Eu conhecia isso, mas não sabia como desenvolver essa fé. Decidi ir mais fundo – conta o bispo.

Demônios? Questionamos Edir Macedo se o diabo existe.

– Está na Bíblia. Não só porque está escrito, mas a experiência na igreja nos mostra. Deus é pai. E qual pai deseja o sofrimento de seus filhos? Você acha que Deus é responsável por essa desgraça toda? Crianças morrendo de fome, violência banal, epidemias, filhos matando os pais, tragédias de todo tipo. De onde vem tudo isso? Não precisa nem crer em Deus. É só raciocinar.

Perguntamos se esse tipo de prática não é uma mistificação que engana as pessoas.

– Os rituais de libertação às vezes assustam, mas são necessários. As pessoas chegam à igreja com enfermidades espirituais graves. E saem dali curadas. Se é milagre? Olha, milagre é uma parceria entre você e Deus. Se a pessoa faz por onde e tem fé, o milagre é possível. As coisas não acontecem porque alguém freqüenta a igreja, mas porque ocorre uma submissão aos pensamentos de Deus. A mudança vem daí. Não por meio de uma fé burra. Aquela em que a pessoa canta, canta, chora, chora e não resolve o problema. A fé está aqui (*aponta para a cabeça*), e não aqui (*aponta para o coração*).

Os trinta anos de atividade no ramo produziram o livro *Orixás, caboclos e guias: deuses ou demônios?*, *best-seller* com vendas superiores a 4 milhões de exemplares. A obra tornou-se o maior sucesso da literatura evangélica no Brasil e rendeu a Edir vários processos. O último deles, com pedido para suspender a venda do livro, instaurado pelo Ministério Público da Bahia, ainda está em julgamento. Mas a última decisão da Justiça, em setembro de 2006, liberou a circulação da obra.

– Escrevi minhas práticas pessoais nessa área espiritual. O livro já ajudou muita gente.

A Igreja Universal ainda não existia, mas Edir Macedo já praticava o exorcismo. Uma das sementes das "sessões de descarrego" ocorreu no Cine Rio Bonito, no interior do Rio de Janeiro. O bispo distribuía pessoalmente panfletos durante quinze, vinte dias antes do evento e torcia para o cinema alugado lotar. Nem sempre enchia. Em Rio Bonito deu certo. Cem pessoas esperavam o pastor Macedo na tarde de domingo. No meio do culto, uma pessoa entrou em transe. De joelhos, cabeça abaixada e os braços cruzados para trás. A voz estava transformada.

– Agora vamos entrevistar o demônio – disse Edir.

– Iiiih... – respondeu a pessoa, que se dizia "manifestada".

Um dos hábitos do bispo, nesses rituais cheios de mistério, sempre foi o de convidar visitantes ressabiados para testar a veracidade do transe das pessoas. Ele desafiava quem tinha coragem para encarar o "demônio". Segundo o bispo, essa tática mudou devido à "violência dos espíritos imundos".

Assistimos a dezenas de gravações de sessões de descarrego realizadas na Igreja Uni-

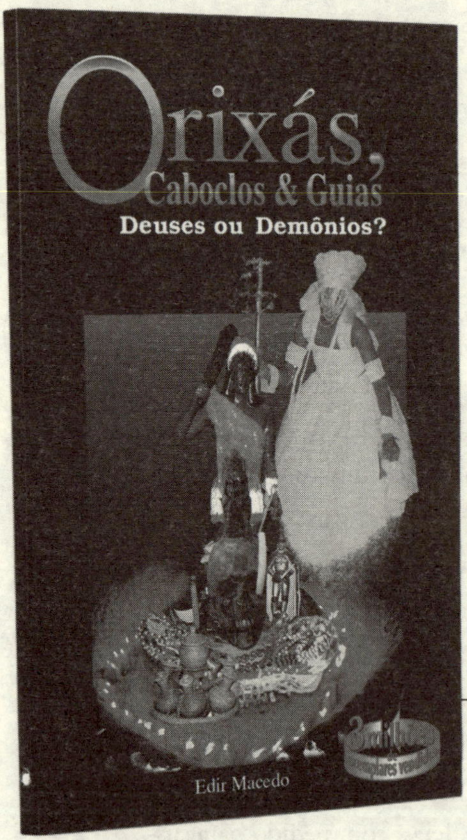

BEST-SELLER CONTROVERSO
Livro sobre exorcismo já vendeu 4 milhões de cópias

versal pelo bispo Macedo. São centenas de fitas arquivadas na catedral de Santo Amaro.

Em um dos vídeos, no antigo templo do Brás, em São Paulo, um homem, aparentando não mais de 40 anos, com aparência transtornada, rasga a camisa e agride dois ou três auxiliares do templo. Tem a voz grossa, debate-se com força e, gritando, diz "odiar a igreja e Edir Macedo". O bispo manda o homem, que se dizia possuído, subir ao altar.

Os dois digladiam-se por minutos. O homem sempre com os braços cruzados para trás e os punhos cerrados.

Edir apóia a nuca dele com a mão esquerda e com a outra segura o microfone. Minutos depois, ele usa as duas mãos. Um auxiliar corre para apoiar o microfone.

– Sai demônio! Sai demônio! Você vai sair! – grita o bispo.

– Não vou sair! Não vou sair! Ele é meu!

O empurra-empurra no altar continua.

O bispo está com a respiração ofegante. A camisa meio amarrotada, a gravata enviesada.

– Sai ou não sai, pessoal?

– Saaaai! – brada o coro de fiéis, com as mãos abertas, erguidas em direção ao altar.

De repente, o pior. Edir Macedo leva uma cusparada no rosto.

Sua raiva parece aumentar.

– Agora você vai sair de uma vez!

O público vibra. Após longos minutos, o bispo diz que, ao final da contagem de um até três, o "demônio vai embora".

– Um! *(pausa)*. Dois! *(pausa)*. Três! *(pausa)*. E... *(pausa maior)*. Saaaai!

Edir larga o homem. Ele salta para trás, como se tivesse levado um tranco. Parece mudar de feição. Olha ao redor, meio perdido.

– Você está bem? – pergunta o bispo. – Jesus te libertou.

Alguns fiéis batem palmas. Outros observam, desconfiados.

Transpirando, o homem corpulento chora. Lamenta seus infortúnios.

– A partir de hoje, tudo mudou – afirma Edir. – Você crê?

– Eu creio, bispo.

Edir Macedo abraça o homem. E segue a cantoria no ritmo do teclado.

A lida do bispo com o exorcismo desenvolveu-se, para valer, nos tempos do prédio da antiga funerária, na Abolição, em 1979. Fazia parte de sua rotina ser chamado às pressas para socorrer alguém em transe na casa de um fiel. A mulher de seu Albino, o mesmo membro tão presente nos caminhos de Edir Macedo, tinha desacordado, repentinamente, sobre a cama.

– Ela estava imobilizada fazia horas, com poucas reações vitais – conta seu Albino. – Chamamos o bispo de madrugada. Era uma emergência.

Edir rezou várias vezes pela mulher. Nenhuma reação.

– Ela estava toda dura – lembra Alba Maria, filha de seu Albino.

– Eu me lembrei do profeta Elias, que se deitou sobre uma criança e passou espírito para ela. Falei para o Albino: "Eu vou fazer uma coisa que nunca fiz, mas eu creio".

Edir Macedo deitou-se sobre a mulher.

– O demônio não resistiu e se manifestou. Em seguida, a mulher voltou a si e passou bem.

Fiéis do antigo templo da Abolição, como seu Albino, hoje se enchem de orgulho ao transitar pela avenida Suburbana. A cinco quarteirões da primeira igreja, onde tudo começou, podem avistar um prédio monumental, a sede mundial da Igreja Universal.

Eles se sentem parte da conquista.

– Eu ajudei a colocar um desses tijolinhos – diz seu Albino, hoje com 84 anos e freqüentador assíduo da igreja da Abolição.

Acompanhamos o bispo Edir Macedo numa viagem de volta ao Rio de Janeiro, à mesma avenida Suburbana em que deu seus primeiros passos como o mais expressivo líder evangélico brasileiro. O templo é gigantesco, o maior atualmente da congregação. Semelhante a um ginásio de esportes, costuma reunir até 18 mil pessoas nas manhãs de domingo. O culto ainda lota, como na época de Edir.

A construção é colossal. São 72 mil metros quadrados de área construída, com praça de alimentação, sala de convenções, bibliotecas, berçários, estúdios de tevê e rádio, estacionamento para 725 carros e heliporto. A arquitetura é arrojada.

O simpático Renato Maduro é quem responde pelo lugar.

– Eu plantei e outros colhem – brinca o bispo Macedo, batendo nos ombros do amigo Maduro, olhando as enormes escadarias da igreja.

Percorremos a catedral ao lado de Edir. Satisfeito, ele descreve cada detalhe do prédio. As inscrições bíblicas em dourado, o museu da Universal, as salas dos projetos sociais, o muro construído com pedras de Israel, o centro de convenções para formação de novos pregadores.

– Entendeu por que não consigo saber a quantidade exata de pastores? Esse número aumenta toda hora.

O PRINCÍPIO
Uma das primeiras reuniões no templo na antiga funerária da Abolição

TRINTA ANOS DEPOIS
Edir Macedo reencontra dona Lindalva, que doou o primeiro ventilador (*em destaque, na foto acima*) ao templo

Minutos antes de deixar a catedral, um encontro histórico para duas pessoas.

Emocionada, uma sorridente senhora de 71 anos aproxima-se de Edir Macedo. A carioca Lindalva Bernardo de Figueiredo é uma das fiéis pioneiras da Universal, ainda na antiga funerária. Foi ela quem doou o primeiro ventilador do lugar, que, por causa do telhado de zinco, ficava muito quente nas agitadas reuniões do então pastor Macedo, principalmente nos dias de verão.

Edir é cordial. Abraça a fiel. Os dois conversam bastante. Relembram situações daquela época. Dona Lindalva chora.

– Ver o bispo Macedo é como ver Jesus. Que alegria!

Dona Lindalva diz que reza por Edir Macedo todas as noites. Seu sonho era um dia reencontrá-lo, trinta anos depois. Bem-humorada, ela conta que foi curada de um câncer na garganta e que seus médicos a apelidaram de "fantasminha", por ter sobrevivido à doença.

– Eu ficava com ódio quando chamavam o bispo Macedo de ladrão, quando diziam que ele fez lavagem na cabeça da gente. Antigamente eu xingava, agora digo: "Jesus, tenha misericórdia desse pessoal".

Os dois conversam por mais alguns minutos, abraçados em frente à entrada principal do templo, na mesma avenida Suburbana de tantas histórias.

O bispo precisa partir. Dona Lindalva também.

Feliz, rindo sozinha, ela caminha lentamente para a reunião.

DE OLHO NA TELEVISÃO

Já em 1977, quando fundou a Igreja Universal, Edir Macedo tinha a convicção de que o crescimento da instituição dependia de um veículo de comunicação de massa. Como dito por seus primeiros fiéis, não apenas sabia da importância como tinha a certeza de que conseguiria esses espaços.

– Ele sempre dizia que era preciso usar a fé com inteligência. E quando não havia sequer cinco minutos de rádio alugado, ele repetia que seria dono de uma emissora de televisão – recorda Manoel Francisco da Silva, um dos primeiros pastores da Universal, ex-soldado da Marinha e hoje controlador da Record Internacional nos Estados Unidos, emissora que retransmite a programação da Record para as Américas do Norte e Central.

A missão era clara: a propagação do Evangelho por Edir Macedo estava ligada diretamente à aquisição de emissoras de rádio e, por que não, de um canal de tevê. Ainda no final dos anos 1970, a proposta ganhou vida.

O bispo adquiriu quinze minutos na programação da Rádio Metropolitana do Rio de Janeiro e levou ao ar *O Despertar da Fé*, atração com mensagens evangélicas e casos de fiéis agraciados.

– Logo chegamos a quarenta minutos – conta Laprovita Vieira, pastor naquele tempo.

Em dois períodos do dia, havia um programa de candomblé. O da noite ia ao ar antes da entrada de Edir Macedo.

– Eu começava herdando a audiência anterior. Aqueles horários levaram muita gente a conhecer a Igreja Universal, principalmente pessoas decepcionadas com o espiritismo.

DESPERTAR DA FÉ
Programa de rádio foi para a televisão nas madrugadas da extinta TV Tupi do Rio

O Despertar da Fé atraiu novos fiéis. E esses novos fiéis sentiram-se atraídos pela missão. Fechou-se o ciclo. Mais horários foram conquistados na Rádio Record, antiga Ipanema, e na FM 105. Não demorou para a compra da Rádio Copacabana, hoje exclusivamente voltada à programação da Universal.

– Para adquirir a rádio, Edir teve de vender nossa casa em Petrópolis. Um lugar de que gostávamos muito. Mas ele ficou todo feliz, porque teria 24 horas para fazer anúncios da igreja, para convidar fiéis para os outros templos – conta a esposa, Ester.

No início, Edir Macedo comandava pessoalmente a programação da madrugada. Passava horas e horas atendendo pessoas com os mais variados tipos de aflição. De segunda a sexta, seu turno começava à meia-noite e terminava às 4 da manhã.

Um daqueles programas quase custou a licença da Rádio Copacabana. Em meados de 1989, Edir e Honorilton Gonçalves abriam espaço para os ouvintes quando receberam a informação de que um espectador desejava fazer uma denúncia. Era um jovem que acusava líderes católicos de quebrarem o juramento do celibato. Dizia ter provas de que vários religiosos freqüentavam boates *gays*. Assegurava até ter tido relação sexual com alguns padres.

– Apenas ouvimos a história dele. Era um espaço democrático para a opinião dos fluminenses – relembra Gonçalves.

Dias depois, o ministro das Telecomunicações na época, Antônio Carlos Magalhães, ameaçou lacrar a rádio. Foi necessária a intervenção de um amigo pessoal de ACM para impedir o fechamento.

– Assim é o Brasil. Tudo na base do troca-troca. Mas a igreja cresceu mesmo em meio a tantos obstáculos – reflete Gonçalves.

Era a arrancada inicial, graças às ondas de rádio. Veículo mais acessível à população carente e às comunidades mais afastadas dos grandes centros, especialmente naquela época, o rádio teve papel decisivo na divulgação da Igreja Universal país adentro.

Mas uma parte consistente dos brasileiros já começava a dar as costas para o veículo. A virada da década ficaria marcada pela popularização da televisão no país. O censo nacional de 1980 constatava que 55% dos 26 milhões de residências brasileiras pesquisadas já possuíam televisores.

Financeiramente, era precipitado avançar sobre a televisão. Mas os números provavam que era necessário arriscar. Edir investiu pesado e levou o mesmo *O Despertar da Fé* para a madrugada da extinta TV Tupi, no Rio, e, em seguida, para São Paulo. Depois, espalhou-se pelos demais estados.

No fim da década de 1980, o bispo Macedo daria o salto empresarial mais arriscado de sua vida.

RÁDIO COPACABANA
Comprada nos anos 1980, emissora iniciou expansão da Universal em rádio e TV

O ARTICULADOR

XADREZ PELA RECORD

Encontramos Edir em casa. Sentado no sofá, rindo sozinho, em frente à televisão. Na sintonia, é claro, a TV Record. Um rápido cumprimento, com o controle remoto nas mãos, sem desgrudar os olhos da tela. A alegria tem dois motivos: as pegadinhas na programação da tarde e os números que surgem do seu *laptop*. Edir monitora, vez ou outra, a audiência da Record. E não esconde o contentamento com a recente disparada no Ibope, que elevou sua emissora à segunda maior audiência do país.

– Avançamos bem, mas ainda é pouco. Vamos ser líderes na comunicação do Brasil. A Record será a número 1. Iremos trabalhar o tempo que for necessário, mas vamos chegar lá – afirma o bispo Macedo. – Não há volta. Quem viver verá.

No Brasil ou em seus outros endereços no exterior, acompanha o que acontece na televisão. É espectador fiel de jornalismo. Não gosta de ser interrompido quando assiste a sua atração predileta: o *Jornal da Record* – cuja redação, aliás, visitou pela primeira vez três meses antes desta conversa. Edir não conhecia as novas instalações do departamento de jornalismo, inauguradas na renovação do principal telejornal de sua emissora.

Depois de almoçar no restaurante da presidência, decidiu, de forma inesperada, percorrer a redação. Simpático, cumprimentou todos. Andou calmamente pelos corredores e provocou surpresa entre os mais de trezentos jornalistas que trabalham no local.

– Como tudo mudou por aqui, está muito bonito – admirou-se Edir. – Agora vamos sair porque daqui a pouco este lugar pega fogo com o fechamento – brincou.

A satisfação do bispo Macedo nas idas a sua emissora contrasta com as memórias sobre a compra da Record. No sofá de casa, já com a televisão desligada, Edir revela com riqueza de detalhes as negociações e a batalha para conquistar a concessão do seu canal.

É a primeira vez que Edir Macedo toca com profundidade no assunto em dezoito anos como proprietário da Record.

– Passei períodos apertados, sem dinheiro para pagar meus compromissos. Tentavam me asfixiar com processos, era intimação atrás de intimação. Polícia Federal, polícias estaduais, Receita Federal, Ministério Público, juízes. Quando o telefone de casa tocava, meu coração disparava.

Entre um gole e outro de água, Edir remói as lembranças.

– Vasculharam minha vida, minha família, a igreja. Não imaginava o que viveria a partir do dia em que decidi comprar a Record.

A jornada pela compra da emissora começou com uma ligação telefônica em meados de 1989, ano em que o Brasil foi às urnas para a primeira eleição presidencial após a ditadura militar. Edir morava em Nova York quando um empresário de São Paulo lhe passou a informação: a TV Record estava à venda. Seu antigo projeto poderia, enfim, ser concretizado.

– O interesse nasceu na hora, é claro. Sabia da importância de ter um canal de comunicação forte para meu trabalho – recorda o bispo.

Edir Macedo iniciaria ali a salvação de uma parte importante da história da televisão brasileira. Mergulhada em grave crise financeira, uma das emissoras pioneiras do país, conhecida como a tevê dos festivais, estava a um passo da falência, mesmo caminho seguido pelas extintas Excelsior, Continental, Tupi e Manchete.

Os donos da Record, o empresário e apresentador Silvio Santos e a família Machado de Carvalho, tocavam a empresa atolados em dívidas. O rombo era grande: a emissora faturava 2,5 milhões de dólares por ano e acumulava 20 milhões de dólares em contas a pagar. Havia ainda divergências no comando da televisão, admitidas somente no início de 2007, em entrevista ao *Jornal da Tarde*, pelo empresário Paulo Machado de Carvalho Filho, o Paulinho.

1º caderno □ terça-feira, 17/5/88 Economia

Abril oferece US$ 14 milhões a prazo pela TV Record

Ricardo A. Setti

SÃO PAULO — A família Machado de Carvalho, que divide com o grupo Sílvio Santos o controle da Rede Record de Televisão, tem desde sexta-feira nas mãos a minuta de um contrato pelo qual o diretor-superintendente da Editora...

A Record tem, no momento, um passivo total equivalente a 9,5 milhões de dólares, para um ativo de 20 milhões. Esse...

Civita (D) quer dividir com Sílvio Santos o controle da rede Record de televisão

Grupo Abril quer comprar TV Record

O grupo Roberto Civita, da Abril, promete fechar negócio na próxima segunda-feira, adquirindo não só a parte da TV Record pertencente a Sílvio Santos, como todas as ações de propriedade dos irmãos Machado de Carvalho, família que fundou a empresa há 35 anos. Ainda é segredo o valor da negociação, embora extra-oficialmente se fale em 28 milhões de dólares (cerca de Cz$ 4,2 bilhões).

Guilherme Veloso, diretor do departamento de relações públicas...

Compra ... e Vasp

Sílvio Santos recusou outras quatro ofertas

Nos últimos oito anos a Rede Record de Televisão já esteve para ser comprada pelo menos cinco vezes. Em todas essas negociações o animador de televisão Sílvio Santos opôs-se à venda da emissora. No início dos anos 80 a própria Editora Abril se interessou pela compra da rede. Depois vieram propostas do jornal Diário Popular, da Televisa, do México, representada pelo presidente da Fifa, João Havelange, da Abril novamente e, agora, do empresário Pedro Siaretta.

As três primeiras propostas eram de compra dos 50% das ações que pertenciam ao grupo Sílvio Santos. Não houve acordo. No caso da Televisa estava tudo certo, chegaram até a abrir garrafas de champagne na sala do velho marechal Paulo Machado de Carvalho, para festejar a venda, mas na última hora o animador foi contra...

Televisa, um dos gigantes

A Televisa mexicana é um dos três mais poderosos grupos de televisão latino-americanos citados em reportagem...

A Televisa compra mais horário de satélite nos Estados Unidos do que a NBC...

Record: o novo comprador, desanimado.

A resposta definitiva sobre a venda das ações da Rede Record, de propriedade de Sílvio Santos, será dada hoje pela manhã, logo após uma reunião que deverá acontecer entre o vice-presidente do SBT, Guilherme Stolliar (em cujo nome estão as ações que pertencem a Sílvio Santos) e o empresário Pedro Siaretta, dono da produtora independente Diane Cine VT. Siaretta, que há pouco mais de 30 dias fez uma proposta de compra do total das ações da Record só conseguiu a concordância da família...

Sílvio Santos já é de se esperar que ele diga que não vai vender a sua cota de ações na Record, da mesma maneira como aconteceu com todos os outros grupos empresariais interessados em comprar e que tiveram suas propostas rejeitadas pelo animador.

Mas, desta vez, a desistência pode acontecer de ambas as partes, pois ontem o empresário Pedro Siaretta já se mostrava desanimado com relação ao assunto. De todos os candidatos à compra, Siaretta foi quem fez a melhor proposta, oferecendo 32 milhões de dólares pela emissora, pagáveis em três anos e meio. Ao que parece Sílvio Santos não está interessado nos 16 milhões de dólares que lhe cabem nesse negócio, mas sim em manter a Record no terceiro lugar de audiência para ficar concorrendo — com seu SBT — sozinho com a Rede Globo pela liderança.

Por razões estritamente financeiras, a família Machado de Carvalho está interessada em abrir mão da parte da Record de sua propriedade, já que a emissora está com um déficit de 10 milhões de dólares e os acionistas não têm como cobrir...

QUÉRCIA COMPRA

Ele nega, mas já é dono do Diário Popular e quer a TV Record.

Uma fonte diretamente ligada à família Lisboa Soares confirmou ontem que o governador Orestes Quércia comprou o jornal Diário Popular, por meio da empresa carioca Arca Participações Ltda., pertencente ao jornalista Carvalho e proprietária também do O Dia, do Rio de Janeiro.

Embora continue negando, comprou 99% das ações do jornal...

32 milhões de dólares pela emissora. E Silvio Santos não quer.

Juiz decreta seqüestro dos bens da Record

JOGO DE INTERESSES

Grupo Televisa, do México, Jornal do Brasil, Grupo Abril e um empresário de ensino disputavam a Record

– A Record estava indo bem, mas aí vieram aquelas loucuras do Silvio. Ele queria passar três vezes o mesmo filme em um dia. Silvio Santos é um extraordinário vendedor, um homem de grande intuição comercial e um péssimo diretor de programação. Você vê o SBT, aquilo é uma lástima. É extremamente inseguro. Você pode ser escravo do Ibope, mas não pode tirar um programa do ar depois de um dia.

Os sócios logo concluíram que era hora de negociar a Record. O escolhido para conduzir a venda foi Demerval Gonçalves, então homem de confiança do Grupo Silvio Santos e hoje superintendente de afiliadas da Rede Record.

– No fechamento do balanço do ano de 1989, a emissora não sobreviveria para 1990 – lembra Demerval. – A partir do momento em que a notícia chegou ao mercado, apareceram diversos interessados.

A lista era grande. Grupo Televisa, Jornal do Brasil, Grupo Abril, o empresário do ensino Edevaldo Alves da Silva, o ex-governador de São Paulo Orestes Quércia. E um misterioso empresário paulista chamado Alberto Felipe Haddad. Era ele quem havia levado para Edir a notícia da venda da TV Record, por intermédio do então líder da Igreja Universal no Brasil à época, Paulo Roberto Guimarães.

– Não sabíamos quem era e quem representava. Depois, ele saiu de cena – lembra Paulo Machado de Carvalho Filho.

– Ele era um sujeito desconhecido. Apenas disse que tinha gente interessada em comprar a Record. Não levei muito a sério – conta Demerval.

Haddad teria papel insignificante na evolução do negócio. Surge, então, outro personagem. Esse, sim, decisivo na compra da emissora: o pastor e ex-deputado federal Laprovita Vieira, o mesmo que acompanharia Edir no dia de sua prisão, três anos mais tarde. Melindrado, o bispo sabia que dificilmente obteria êxito se sua figura aparecesse nas negociações logo no início. Seu Vieira, como é conhecido, interpretaria o papel do comprador oficial da Record no tabuleiro de xadrez construído por Edir Macedo.

A encenação convenceu. E não era para menos. Edir tinha dado uma ordem ao pastor: ele deveria comparecer a todas as reuniões com um maço de cigarros bem à mostra no bolso da camisa. Ninguém poderia desconfiar que, por trás de Laprovita Vieira, estava o fundador da igreja evangélica que mais crescia no Brasil. Edir Macedo somente apareceria em caso extremo.

– Eu liguei para o seu Vieira no Rio e disse: "Eu gostaria que o senhor fosse para São Paulo comprar a Record. Vá lá e feche negócio" – conta Edir.

Laprovita admite que levou um susto:

– Eu pensei: "Espera um pouco. Será que ouvi direito o que o bispo Macedo disse? Comprar a Record?". Era uma coisa absurda.

Dias após a ligação do bispo, Laprovita foi ao encontro de Demerval Gonçalves e apresentou-se como o verdadeiro interessado na compra da Record. O encontro foi na antiga sede da emissora, na avenida Miruna, no bairro paulistano de Moema, onde hoje funciona o prédio administrativo da *Record News*, o único canal com 24 horas de informação da tevê aberta no Brasil.

– Laprovita foi enfático: "Quero comprar a emissora e pronto". – Não sabia quem estava por trás daquele senhor – conta Demerval.

RECORD À VENDA
Sede da emissora em 1989: 20 milhões de dólares em dívidas

As negociações evoluíram rapidamente. A proposta agradou aos sócios da Record, que marcaram uma reunião na casa de Silvio Santos. Foi a primeira de uma incansável rodada de discussões. Edir, na figura de Laprovita, desembolsou como sinal 7 milhões de dólares, correspondentes à metade da entrada. Os outros 7 milhões deveriam ser pagos em 45 dias. Mas as contas apertaram. No dia do vencimento da segunda parcela, não havia dinheiro suficiente. E pior: uma cláusula do contrato rezava que, em caso de atraso no pagamento, o bispo perderia a Record e mais os 7 milhões já pagos.

A transação era ousada. Entrou para a história como o maior negócio no setor de comunicações do país até então. As cifras assustaram especialistas do mercado. Não era comum uma empresa de rádio e televisão ser vendida por aquele valor no Brasil. No total, Edir Macedo assumiu uma dívida de 45 milhões de dólares ao adquirir a Record. Da quantia acertada, 14 milhões deveriam ser depositados logo no início. O restante, 31 milhões, seria pago à família Machado de Carvalho e a Silvio Santos ao longo de dois anos.

Os números desenhavam um horizonte negro para o bispo. Além da dificuldade para resolver a entrada, logo começariam as prestações, também em dólar, que se traduziriam em mais aperto.

– Até hoje não sei como fizemos. Não foi pelo caminho natural de qualquer negócio daquele tamanho. Foi uma loucura. Agi sem pensar, sem planejamento, sem cálculos detalhados, sem estudos financeiros. Simplesmente agi. Eu acreditei e ponto – diz ele.

"QUERO NEGOCIAR, SILVIO"

Só havia uma solução para pagar a segunda metade da entrada: renegociar a dívida com Silvio Santos. O encontro decisivo aconteceu no antigo escritório do apresentador, na rua Jaceguai, na Bela Vista. Juntos, Silvio, Paulinho e Laprovita, além dos advogados das duas partes. No meio da reunião, um impasse. Discutiam-se novos prazos e valores, sem nenhum acordo à vista. Era um caso extremo. Foi então que um homem de pequena estatura se levantou de uma das poltronas do escritório e disse:

– Já podemos parar com esta discussão. Eu sou o Edir Macedo, o camarada que está à frente da compra da Record. Vamos resolver de uma vez por todas. Quanto vai ser? – disse o bispo Macedo.

– O Silvio, ou algum representante, disse o valor. E o bispo respondeu: "Não tem problema" – lembra Paulinho.

– Estava impaciente com aquela situação. Tinha ido disfarçado para bater o martelo em caso de emperrar o negócio. Achei que se me identificasse resolveria o problema – recorda Edir.

O negócio não andou. Na mesma semana, Silvio Santos expressou arrependimento, mas estava preso ao sinal depositado por Laprovita Vieira e pressionado para zerar as dívidas da Record. Quando soube que Edir Macedo era o real comprador, o apresentador foi enfático:

– Não vendo mais.

A reação do dono do SBT tinha como pano de fundo um exercício de futurologia.

– Esses caras vão transformar a Record em uma igreja eletrônica e vão

São Paulo, 6 de novembro de 1989.

À

Rádio Record S/A

At.: Dr. Paulo Machado de Carvalho Fº

Nesta

Prezado Senhor:

Sabedor do propósito de V.Sa. e dos demais acionistas dessa empresa em desfazerem-se das ações de que são possuidores, sirvo-me da presente para manifestar minha intenção em adquirí-las, condicionando-se tal desiderato, como de praxe, ao prévio e detalhado conhecimento da situação econômico-financeira daquela sociedade.

Na expectativa de um breve pronunciamento de V.Sa. para que possamos dar início aos entendimentos, subscrevo-me,

atenciosamente.

ODENIR LAPROVITA VIEIRA

CARTA DE INTENÇÃO

Negociação entre Edir Macedo e Silvio Santos começou com intermediário tomar dois pontos da minha audiência lá na frente – disse Silvio Santos a seus emissários.

Hoje, ao relembrar o prognóstico, Demerval ironiza:

– Ele errou duas vezes. Não transformaram a emissora em igreja eletrônica e, pior, já tomaram dez pontos dele e agora o segundo lugar na briga pela audiência.

Para a assinatura do acordo, foi necessária a intervenção de seus principais aliados para convencer Silvio Santos. Após ler todo o contrato, o apre-

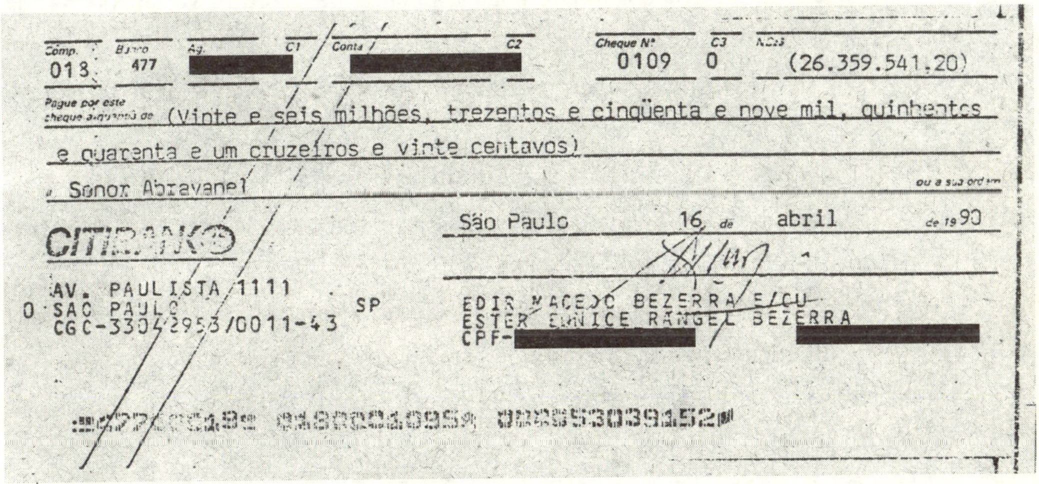

HISTÓRICO
O cheque de uma parcela do bispo para Senor Abravanel, o Silvio Santos

sentador convocou Demerval e Luiz Sebastião Sandoval, presidente do Grupo Silvio Santos, para uma reunião particular.

– Não vou assinar – disse Silvio.

Os funcionários do empresário disseram que a decisão cabia a ele, mas que, a partir daquele momento, nenhum dos dois voltaria à TV Record para buscar uma nova negociação.

– Nós estamos resolvendo um problema e você está criando um – disse Sandoval.

Mesmo contrariado, Silvio Santos aceitou o acordo. Novos obstáculos, porém, não paravam de surgir no caminho do bispo Macedo.

O acordo para facilitar o pagamento da entrada viabilizou a compra da emissora, mas sugou seus últimos recursos financeiros. Parcelas e parcelas em dólar se acumulavam, uma atrás da outra, em períodos de tempo muito curtos.

Edir decidiu novamente procurar Silvio Santos para renegociar ainda mais a dívida. Pediu a Demerval Gonçalves para intermediar o pedido. Quando recebeu o recado, Silvio endureceu mais uma vez. Não aceitou, de início, e disse que devolveria o dinheiro já pago para ter a Record de volta. A conversa se estendeu por horas.

– Se tiver de devolver o dinheiro, eu devolvo e fico com a emissora – disse o dono do SBT ao bispo.

– Não estou aqui para pedir dinheiro de volta. Não quero o seu dinheiro. Quero quitar a dívida. Quero renegociar o restante do pagamento – respondeu Edir Macedo.

Por fim, Silvio Santos aceitou o acordo. Nem tanto por altruísmo, mas pela urgência em usar os 7 milhões de dólares pagos no sinal da compra. Os credores já ameaçavam pedir a falência da Record. O dinheiro estava preso na Justiça e seria liberado apenas com o contrato em vigência.

Procurado durante três meses, Silvio Santos não respondeu a nossos pedidos de entrevista para contar sua versão sobre a venda da Record.

Edir Macedo encontrava-se submerso num turbilhão de embaraços. Dívidas por todos os lados, processos em acúmulo, as reportagens negativas da imprensa.

– Não lia jornal nem revista, nem assistia à televisão. Até hoje eu não sei o que falavam sobre mim. Era a única forma de me preservar – conta o bispo. – Quando se recebem tantas informações contrárias, logo desejamos revidar. Essa reação, quase sempre, se volta contra nós mesmos.

A pressão atingiu a família de Edir frontalmente.

– Estava para casar na época. Meu pai recebia ameaças constantes de que seria preso se continuasse com a compra da Record. Diziam que iriam pegá-lo na minha frente, no dia do meu casamento – conta Cristiane Cardoso, filha mais velha do bispo.

– Também ameaçaram a família do noivo – diz Ester, que viveu calada o sentimento de ver o marido num beco sem saída. – Ele tinha momentos de explosão, de gritar, desabafar. Não havia ninguém capaz de acalmar o Edir. Eu estava ao lado dele, me esforçando para controlar seu estado emocional o tempo todo. Edir chegou ao limite.

A expressão do bispo Macedo muda ao recordar de uma manhã em seu escritório na Rádio Copacabana, centro do Rio de Janeiro. Sobre sua mesa, após horas de reuniões, os números da dívida da Record. O bispo pediu licença, trancou-se sozinho no banheiro e rezou.

– Coloquei minha cara no chão e chorei, chorei. Fiz tudo o que podia fazer e nada deu certo. Então fiquei de joelhos e disse para Deus: "Olha, está nas tuas mãos. Se vier a Record, bem, se não vier, paciência. Eu não vou perder nada, esse negócio não é para mim" – relembra Edir. – Quando levantei, saiu um peso. Parece que eu estava endemoniado e que todos os demônios tinham saído de dentro de mim.

Pouco a pouco, as parcelas iniciais foram pagas. Mas o inacreditável aconteceu meses depois, pontualmente no dia 15 de março de 1990, com o lançamento do Plano Collor. O pacote econômico, que se transformou em terror para a maioria dos brasileiros, virou alívio para Edir Macedo. Criado com o objetivo frustrado de conter a hiperinflação do Brasil, o plano confiscou o dinheiro das contas bancárias de milhões de pessoas e desvalorizou o dólar.

As prestações do bispo Macedo, baseadas na cotação da moeda estrangeira, despencaram. As dívidas da compra da Record, antes exorbitantes, acabaram pagas com facilidade. Edir passou a zerar duas, até três prestações em um único mês. Antes de 1992, o bispo Macedo já quitara integralmente a dívida.

– Fui salvo pelo gongo. O Plano Collor só ajudou a mim no Brasil inteiro, mais ninguém. Sorte? Acaso? Coincidência? Cada um acredite no que quiser. Eu tenho certeza de que foi Deus – afirma Edir.

Transferência da Record pode ser negada

A Rede Record pode se tornar a primeira emissora de TV do País a ter um pedido de transferência de concessão negado pelo governo, porque o "bispo" Edir Macedo Bezerra, líder da Igreja Universal do Reino de Deus, comprou a concessão ao invés de tê-la recebido diretamente do governo federal. Um Processo de Apuração de Infração (PAI) foi instaurado há 20 dias pela Secretaria de Comunicações e seguirá paralelamente ao pedido de transferência.

A informação é do secretário Joel Marciano Rauber. Ele já havia antecipado ao **Jornal da Tarde**, numa reportagem publicada no dia 16 de maio, que o "bispo" Edir Macedo enfrentaria muita dificuldade para explicar ao ministro da Infra-Estrutura, João Santana — representante legítimo do presidente Fernando Collor —, a operação de compra.

"Se o Processo de Apuração de Infração ...

O "bispo" Edir Macedo pode perder a Rede Record. Para o governo federal, essa TV ainda pertence a seus antigos donos.

Silvio Santos é testemunha em processo contra Record

Cristina Rufatto

Silvio Santos, Laprovita e Edir Macedo aguardando para depor no Fórum

MUDANÇA DE DONO
Imprensa questionou aquisição da Record

OS NEGOCIADORES
Silvio, Laprovita Vieira e Edir antes de depor em processo

O tempo provou que o investimento valeu a pena. Em 1989, a Record tinha um prédio pequeno de 8 mil metros quadrados. Pouco mais de setecentos funcionários produziam vinte horas de conteúdo nacional. Era uma das últimas emissoras no *ranking* da audiência no Brasil. Valia 45 milhões de dólares, o preço pago por Edir Macedo.

Hoje, em maio de 2007, o complexo de produção da Record tem 48 mil metros quadrados apenas em São Paulo. No Rio, no RecNov, área exclusiva de teledramaturgia, mais 31 mil metros construídos em um terreno de 200 mil metros quadrados. Seis mil funcionários em todo o país produzem 85 horas de conteúdo nacional. A cobertura em 98% do país é feita por 99 emissoras, entre próprias e afiliadas. O sinal internacional chega a 125 países de quatro continentes. É a segunda televisão mais assistida do Brasil. E, segundo analistas de mercado, vale atualmente 2 bilhões de dólares.

CHANCELA DO PLANALTO

O bispo era o novo dono da Record. Mas a posse verdadeira ainda dependia do governo. Edir precisava da concessão da emissora – direito de operação dos canais de televisão no país, atividade controlada pelo Estado.

Enquanto aguardava a decisão de Brasília, ele percorria os corredores da antiga sede na avenida Miruna com uma missão: eliminar as dívidas da empresa. E um dilema: o que fazer com a programação da Record? Transformar a tevê em uma igreja eletrônica, fato bem comum naquela época nos Estados Unidos, ou assumir uma programação comercial? O rumo escolhido para a emissora e o que Edir pensa sobre o assunto vamos descobrir algumas páginas à frente.

O bispo Macedo gerenciou a Record pessoalmente por poucos meses. Tempo suficiente para sentir a percepção da sociedade sobre ele. Os funcionários da própria emissora, em especial os jornalistas, mesmo com a empresa prestes a falir, trabalhavam ressabiados com o novo patrão. A primeira reunião de Edir com o departamento de jornalismo da tevê é uma recordação viva em sua memória.

Naquele dia, houve uma convocação extraordinária da redação. Mesmo os que tinham funções na rua aguardaram na avenida Miruna o primeiro contato com o novo, e já tão polêmico, proprietário da Record. A redação estava cheia. O bispo Macedo entrou rapidamente, cumprimentou todos e iniciou a apresentação. Explicou quem era e pôs-se a detalhar suas intenções de realizar grandes investimentos na televisão.

– Enquanto eu falava, dois ou três jornalistas me encaravam fumando, com os pés sobre as cadeiras, soltando fumaça para o alto – lembra o bispo. – Um tom claro de desprezo. Eu me fiz de desentendido, fingi que não vi.

No decorrer da conversa, um dos jornalistas questionou Edir em nome dos colegas:

– Como tem certeza de que a Record vai passar para o seu nome? Todos aqui queremos saber. Qual a garantia de que o governo vai dar a concessão para você? Qual a garantia que nós temos?

Irritado, o bispo apelou para sua religião:

– Só se Deus não for Deus.

Alguns riam, outros se olhavam com estranheza. Edir encerrou a reunião.

O então diretor de jornalismo Dante Matiussi lembra do primeiro encontro com o bispo.

– Ele tinha disposição, decisão, uma postura e uma força de vontade muito fortes de fazer uma grande emissora de televisão – recorda Matiussi. – Um dia, saindo da sala dele, ele me falou: "Vamos lá, o foco é a liderança!". Eu respondi: "É, se Deus quiser". Ele me chamou de volta e disse: "Olha só, comigo não tem essa de se Deus quiser. Deus quer, entendeu? Deus quer!".

As dificuldades iniciais em administrar seus empregados, para o bispo Macedo, eram motivadas principalmente pela onda de notícias contrárias que saltavam na imprensa. Qualquer boato era razão para uma nova reportagem. Uma delas, ainda em 1990, ganhou um tom jocoso ao retratar um caso específico de atraso de pagamento de salários por ordens administrativas. E virou até hoje motivo de piada entre a cúpula da Universal. A manchete dizia: "Bispos da Record juntam moedinhas para pagar funcionários".

– Eram as moedinhas da viúva pobre – ironiza o bispo Macedo, referindo-se ao episódio bíblico em que Jesus Cristo torna rica uma viúva miserável que doou a Ele as últimas moedas que possuía. – O crescimento da Record, assumindo agora o segundo lugar, provou que as moedinhas realmente eram da viúva pobre.

O embate entre os deveres da igreja e os da Record, estes cada dia maiores, provocaram uma bifurcação na vida de Edir.

BISPO NA IMPRENSA
Compra da Record iniciou onda de reportagens

– Não havia como administrar a televisão. As funções de executivo começaram a prejudicar meu trabalho espiritual na igreja. Pouco a pouco, consegui pessoas de confiança para cuidarem da Record – conta o bispo.

No começo de 1990, Edir Macedo convocou um antigo integrante da igreja para assumir o comando da emissora: o carioca Honorilton Gonçalves. O então pastor abriria mão do altar para se dedicar à carreira de executivo de televisão. Gonçalves tinha iniciado a Universal em algumas regiões do Brasil e na África, mas agora teria de se entregar a um novo desafio: salvar a Record da falência. Hoje, superintendente artístico, aos 47 anos, ele é o número 1 na estrutura de programação da Record.

"Algo me diz que a igreja comandada por Edir Macedo perderá a concessão da Rede Record este ano."

▶ Robério de Ogun, médium, achando que Macedo e seus pastores mexeram com setores poderosos e não terão força para suportar tantas pressões e evidências comprometedoras.

DESTINO
Famoso médium faz previsão sobre a Record em 1990

– O bispo Macedo sempre me ajudou a tocar a Record. Embora não esteja presente no dia-a-dia, tomamos as grandes decisões juntos – diz Gonçalves. – Ele conhece bem televisão. Sempre acaba surpreendendo por suas opiniões certeiras.

Na compra dos direitos das Olimpíadas de 2012, por exemplo, foi assim. Pela primeira vez na história, a TV Globo acabou excluída de um dos maiores eventos esportivos do planeta. A Record fará a transmissão dos jogos de Londres com exclusividade no Brasil.

– Eu disse para o Gonçalves fazer uma oferta impossível de cobrir (*valor que não pode ser divulgado por força de contrato*). Queremos dar aos brasileiros, pela primeira vez, em décadas de monopólio, o direito de escolher um outro canal de televisão – conta o bispo Macedo. – Com o tempo, vamos conseguir ainda mais outros grandes eventos exclusivos. Não estamos brincando, queremos ser a número 1 para valer.

Ainda em 1990, Gonçalves chegou à Record como homem forte de Edir Macedo. Os dois teriam como maior tarefa, de imediato, conseguir a transferência da concessão. O documento estava congelado na Secretaria de Comunicações, aguardando o parecer de Fernando Collor de Mello. Cabia ao primeiro presidente eleito do país a responsabilidade de chancelar ou não uma das maiores negociações da televisão brasileira.

O processo de concessão, que habitualmente tomava duas páginas de relatório do órgão federal das Comunicações, naquele momento precisou de nada menos que quarenta folhas.

– Todo ele fundamentado juridicamente. Provamos que o contrato não era de gaveta, que o comprador era legítimo, e que era uma operação comum dentro da sistemática do ministério – lembra Demerval Gonçalves, o incumbido de coordenar o pedido no Planalto.

A transação da venda da Record foi examinada, exaustivamente, por todos os setores do poder público. Em junho de 1991, no prazo de uma semana, a Polícia Federal e a Polícia Fazendária de São Paulo chegaram a pedir, juntas, todos os documentos do processo, inclusive com a explicação sobre a origem dos recursos – fato raro nessa esfera de investigação.

ALÉM DA VERSÃO OFICIAL

A demora na assinatura do processo de concessão era incomum. Quinze anos depois, decidimos apurar o que aconteceu por trás da versão oficial. Uma das peças-chave para montar esse quebra-cabeça é um advogado paulistano chamado João Eduardo Cerdeira de Santana, de 50 anos. Ele era o ministro da Infra-estrutura da época, pasta criada por Collor que incluía a Secretaria de Comunicações. Sem nunca antes ter tocado publicamente no assunto, Santana nos concedeu uma demorada entrevista. E admitiu que muita gente poderosa pressionou o governo federal para impedir que a concessão fosse assinada em nome do bispo Macedo.

– As influências contra a transferência vieram de vários lados, durante todo o processo. O fato de Edir Macedo ter envolvimento com uma igreja incomodava muita gente – afirma Santana.

Em meio ao depoimento, uma pergunta permanece: afinal, quem eram os principais "incomodados" com o negócio?

– Outros donos de emissoras de televisão e chefes de grupos da imprensa escrita do nosso país. Proprietários de tevês falaram comigo na época. Também havia uma pressão de jornais e revistas contra a concessão.

A maneira de agir desses interessados era a de sempre: na surdina.

– É uma coisa complicada de dizer. Os incomodados nunca formalizavam seus interesses. Nunca ninguém mandava um ofício para mim dizendo: "Olha, eu sou contra a concessão desse canal porque fulano de tal não é boa pessoa por isso ou por aquilo". Nunca pediram explicitamente para não dar a concessão. Eles diziam: "Essa concessão ao bispo precisa ser analisada melhor".

Pela primeira vez, o ex-ministro Santana dá nomes aos empresários e aos grupos de comunicação.

– Não era do gosto do Grupo O Estado, da família Mesquita, e do Grupo Abril. Nunca houve uma ação direta, mas eles queriam muito entrar no mercado de televisão. Havia uma pressão velada. É claro que um grupo novo como aquele, assim que surgia, tomava pancada da concorrência. E tomava pancada mesmo.

Enquanto o processo de concessão se arrastava, Edir Macedo seguia como manchete na imprensa. Em julho de 1991, o *Jornal do Brasil*, o mesmo que havia oficializado uma proposta de compra da Record dois anos antes, acusou o bispo de ter recebido 1 milhão de dólares de um narcotraficante colombiano para a compra da emissora.

Três meses mais tarde, Edir foi convocado a prestar esclarecimentos numa Comissão Parlamentar de Inquérito, criada para investigar o tráfico de drogas no país. À frente dos deputados, cuja ação não resultaria em efeitos práticos, Edir Macedo foi obrigado a explicar as doutrinas adotadas na Igreja Universal:

– Acredito na inteligência do povo e especialmente na inteligência dos nossos nobres deputados. É possível enganar o povo por um tempo, mas não o tempo todo. A Igreja Universal trabalha da mesma forma há catorze anos, e onde estão os nossos erros? Se viéssemos de outra parte do mundo, seríamos muito bem aceitos no Brasil. Mas, como somos daqui, como somos brasileiros, sofremos uma perseguição injusta. Somos caluniados porque somos brasileiros.

Surge, então, um personagem com papel sombrio na batalha de Edir Macedo pela concessão da Record: o empresário José Carlos Martinez, dono da CNT, a Central Nacional de Televisão, um dos tesoureiros da campanha do presidente Fernando Collor de Mello. Martinez se aproximou do bispo com a proposta de tornar sua emissora no Paraná afiliada da Record.

Os dois se encontraram numa festa luxuosa em Curitiba. Entre as decisões, o aval de Edir para Martinez comprar a TV Corcovado, no Rio – empresa que Silvio Santos foi obrigado a vender por já possuir outra emissora na mesma cidade.

– Como eu tinha prioridade na compra, dei sinal verde para o Silvio negociar a tevê com o Martinez – recorda Edir. – Eu não sabia das reais intenções dele.

O negócio foi fechado em 5 milhões de dólares, dinheiro cuja origem, tempos depois, seria colocada sob suspeita, conforme notícia publicada pela revista *Veja* em julho de 2002. O já deputado Martinez foi acusado de receber o milionário valor de Paulo César Farias, o PC, que também trabalhou como tesoureiro da campanha de Collor nas eleições de 1989 e que, mais tarde, seria denunciado como testa-de-ferro de esquemas de corrupção. Martinez acabou processado por supostamente omitir o empréstimo à Receita Federal.

A CNT, a mais forte das empresas de Martinez, nasceu em 1975, com a TV Tropical de Londrina, também no Paraná. Cresceu em 1980, com a compra da TV Paraná, de Curitiba, que pertencia aos *Diários Associados*. Mas não foi além disso, até o início do governo Collor. Em 1991, surge a denúncia contra a TV Corcovado. No início de 1992, já se comentava nos bastidores de Brasília que Fernando Collor pretendia expandir seu poder na mídia aliando-se a Martinez.

A família de Collor era proprietária de um grupo de jornais, emissoras de rádio e televisão: as Organizações Arnon de Mello. Os principais veículos do grupo eram o jornal *A Gazeta de Alagoas* e a também alagoana TV Gazeta, afiliada da Rede Globo. O maior dos passos ao lado de Martinez seria a articulação de uma rede nacional para a CNT. Foi assim que, em março de 1992, a emissora abocanhou espaços na TV Gazeta de São Paulo, de propriedade da Fundação Cásper Líbero, formando a Rede OM Brasil, a primeira com cabeça de rede fora do eixo Rio–São Paulo.

O objetivo de Collor e Martinez era muito maior, segundo Demerval Gonçalves:

– Eu freqüentava Brasília semanalmente. O que se dizia, de forma aberta, era que Collor queria fazer uma grande rede própria para se manter no poder. E esse projeto ambicioso passava pela tomada da Record.

Observe esta notícia do jornal *Folha de S.Paulo*, em sua edição de 19 de agosto de 1991:

Grupo do Paraná quer comprar TV Record

*As Organizações Martinez (OM), que possuem quatro emissoras de televisão no Paraná e uma no Rio de Janeiro, anunciaram que estão em negociações para comprar a TV Record, do bispo da Igreja Universal do Reino de Deus Edir Macedo. O candidato derrotado do PRN a governador do Paraná e um dos donos da OM, José Carlos Martinez, 42, disse na sexta-feira (*dia 16 de agosto*) em Curitiba que irá se encontrar nesta semana com Macedo para discutir a transação.*

*"Podemos resolver os problemas da Record em conjunto", afirmou Martinez, referindo-se ao processo contra Macedo por irregularidades na compra da Record. Martinez contou que apurou a ação do Ministério da Infra-Estrutura (*pasta do ministro João Santana*) contra Macedo, mas não confirmou a possibilidade de o bispo perder a concessão da Record.*

Martinez não revelou os valores da negociação. Segundo ele, a transação incluiria a participação de Macedo no controle da TV Corcovado, no Rio de Janeiro, pertencente à OM. "O bispo tem interesses na Corcovado mesmo antes da polêmica sobre a sua concessão em São Paulo", explicou Martinez.

O ex-ministro Santana confirma a sede de poder de José Carlos Martinez:

– Martinez desejava outros canais de televisão, aumentar a rede dele, se viabilizar. Ele queria que a gente ajudasse isso a acontecer. Ele tinha um projeto de uma rede nacional. A TV Record já estava vendida e ele não tinha dinheiro para comprar. Martinez ficaria muito contente se houvesse um problema com a concessão e ele fosse a solução do problema. A jogada dele era se apresentar ao bispo como a saída para facilitar a concessão.

Foi o que ocorreu. Certo dia, o empresário paranaense pediu uma reunião urgente em São Paulo com o bispo Macedo para tratar de um assunto de emergência. Diante de Edir e de Honorilton Gonçalves, Martinez afirmou explicitamente que o governo não assinaria a concessão da Record.

Em silêncio, Edir ouviu o empresário por alguns minutos.

– Não vão assinar de maneira nenhuma, não há jeito. Eu posso ajudar o senhor – disse ele, afoito.

De repente, o bispo Macedo interrompeu Martinez. Levantou-se do sofá e disse:

– Preste atenção: a Record só não vai ser minha se passarem por cima do cadáver de Jesus.

Surpreso com a resposta, Martinez deixou o encontro, desconcertado.

Pouco tempo antes, também na presença de Martinez, Edir foi ridicularizado em uma reunião de negócios em Las Vegas, nos Estados Unidos. O bispo jantava com o empresário num famoso restaurante da cidade a convite de grandes fornecedores da NAB, National Association of Broadcasters, principal feira de equipamentos de televisão do mundo. Era a primeira vez que Edir participava do evento. Na mesa ao lado, outros donos de emissoras brasileiras, entre eles João Carlos Saad, proprietário da TV Bandeirantes.

Saad e Martinez já se conheciam.

Grupo do PR quer comprar TV Record

Da Sucursal de Curitiba

As Organizações Martinez (OM), que possuem quatro emissoras de televisão no Paraná e uma no Rio de Janeiro, anunciaram que estão em negociações para comprar a TV Record, do bispo da Igreja Universal do Reino de Deus, Edir Macedo. O candidato derrotado do PRN a governador do Paraná e um dos donos da OM, José Carlos Martinez, 42, disse na sexta-feira em Curitiba, que irá se encontrar nesta semana com Macedo para discutir a transação.

"Poderemos resolver os problemas da Record em conjunto", afirmou Martinez, referindo-se ao processo contra Macedo por irregularidades na compra da Record. Martinez contou que apurou a ação do Ministério da Infra-estrutura contra Macedo, mas não confirmou a possibilidade de o bispo perder a concessão da Record.

Martinez não revelou os valores da negociação. Segundo ele, a transação incluiria a participação de Macedo no controle da TV Corcovado, no Rio de Janeiro, pertencente à OM. "O bispo tem interesses na Corcovado mesmo antes da polêmica sobre a sua concessão em São Paulo", explicou Martinez.

OBJETIVO
O empresário José Carlos Martinez, dono da CNT, anuncia interesse em comprar a Record

– E aí, Martinez! Quer dizer que você agora vai passar a sacolinha também? – gritou Saad, antecedendo o burburinho.

– Isso tudo na minha frente, um vexame – recorda Edir. – Hoje estamos lá na frente, e eles em quinto, sexto lugar, sei lá.

A possibilidade de o bispo Macedo não conseguir a concessão da TV Record despertou a ambição de outros políticos. Paulo Maluf foi um deles. Na verdade, representado pelo empresário do ensino Edevaldo Alves da Silva, o mesmo que ofereceu a Silvio Santos e à família Machado de Carvalho irrisórios 6 milhões de dólares pela compra da Record. No jantar na casa de Maluf, uma proposta indecorosa.

– Ele simplesmente queria que eu autorizasse a concessão em nome desse empresário. A promessa era de que, mais tarde, a emissora voltaria para o meu nome. Os dois insistiram muito na tese de que o governo não passaria a televisão para o meu nome, em hipótese nenhuma, não importaria o que eu fizesse – conta o bispo.

Edir Macedo, é óbvio, rejeitou a oferta.

Paulo Maluf nos confirmou o encontro. Segundo ele, ocorreu em 1990, quando era candidato a governador do estado de São Paulo. Mas afirma que não tratou de negócios.

– Eu estava em primeiro lugar nas pesquisas. Acredito que ele teve curiosidade de me conhecer – disse Maluf.

Edevaldo Alves da Silva não quis falar sobre o assunto.

Na luta pela concessão, os diretores da Record se desgastavam em reuniões infrutíferas com integrantes do Palácio do Planalto. Antes de 1992, uma sinalização de Brasília foi encaminhada a Demerval Gonçalves.

O sinal era um prenúncio de fatos que manchariam a história do Brasil.

– PC Farias me chamou em Brasília e disse que agia sozinho. Ele pediu 10 bilhões de cruzeiros (*cerca de 11 milhões de dólares*) para dar a transferência da concessão. Não estava certo de que a promessa se cumpriria de fato – denuncia Demerval.

Segundo Demerval, nenhum centavo foi entregue ao tesoureiro.

– Toda a documentação estava correta, apesar das acusações e dos processos. As autoridades jamais esperaram que estivéssemos totalmente em ordem – afirma Demerval.

O que não estava em ordem era o governo federal. Em maio de 1992, no exato mês da prisão do bispo Macedo, começaria a onda de graves denúncias de Pedro Collor, irmão do presidente. Paulo César Farias, o PC, era acusado de articular, no Palácio do Planalto, um esquema de corrupção, loteamento de cargos públicos, tráfico de influência e cobrança de propina. Os beneficiários seriam integrantes do alto escalão do governo e o próprio presidente da

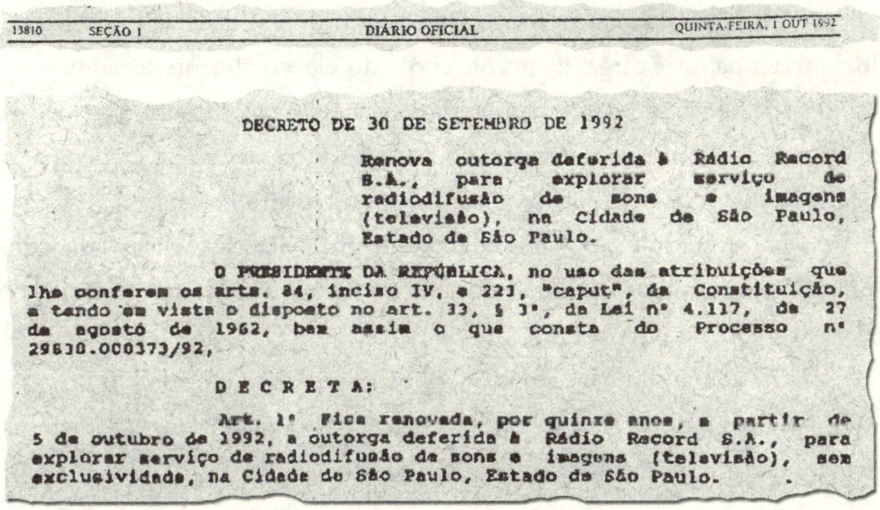

13810 SEÇÃO I DIÁRIO OFICIAL QUINTA-FEIRA, 1 OUT 1992

DECRETO DE 30 DE SETEMBRO DE 1992

Renova outorga deferida à Rádio Record S.A., para explorar serviço de radiodifusão de sons e imagens (televisão), na Cidade de São Paulo, Estado de São Paulo.

O PRESIDENTE DA REPÚBLICA, no uso das atribuições que lhe conferem os arts. 84, inciso IV, e 223, "caput", da Constituição, e tendo em vista o disposto no art. 33, § 3º, da Lei nº 4.117, de 27 de agosto de 1962, bem assim o que consta do Processo nº 29830.000373/92,

D E C R E T A:

Art. 1º Fica renovada, por quinze anos, a partir de 5 de outubro de 1992, a outorga deferida à Rádio Record S.A., para explorar serviço de radiodifusão de sons e imagens (televisão), sem exclusividade, na Cidade de São Paulo, Estado de São Paulo.

Art. 2º A renovação da outorga de que trata este Decreto somente produzirá efeitos legais após deliberação do Congresso Nacional, na forma do disposto no art. 223 da Constituição.

Art. 3º Este Decreto entra em vigor na data de sua publicação.

Brasília, 30 de setembro de 1992; 171º da Independência e 104º da República.

FERNANDO COLLOR
Affonso Camargo

A CONCESSÃO
No fim do governo, Collor assina a concessão da Record

República. Logo, o Congresso Nacional instalaria uma CPI para investigar o chamado Esquema PC.

Fernando Collor não conseguiu controlar o movimento, que tomava as ruas e o Congresso. E sucumbiu.

– Ao apagar das luzes do governo, Collor acabou assinando a concessão, depois de três anos de tentativas, quando já não tinha mais nenhuma saída. E de quebra, semanas depois, renovou a outorga de quinze anos da Record – diz Demerval.

Hoje, Fernando Collor de Mello afirma que decidiu assinar o processo por vontade própria.

– Eu determinei que a concessão da Record fosse dada ao bispo Macedo. Havia uma forte carga de preconceito – diz ele, atualmente senador.

Edir foi avisado de que receberia a concessão pelo próprio presidente, em um café-da-manhã em Brasília, no final de 1992, na casa do ex-deputado federal Paulo Octávio, hoje vice-governador do Distrito Federal.

– Foi seu último ato na Presidência. Naquele dia, ele se disse indignado com a Igreja Católica e a mídia, que, de uma hora para outra, deixaram de apóia-lo – conta o bispo.

Na ocasião, Edir Macedo rezou por Collor. E deu um conselho:

– Presidente, faça como eu. Deixe de ler as notícias ruins que saem na imprensa. É uma maneira de o senhor se preservar.

O futuro reservou destinos diferentes para os protagonistas daquele período de 1992.

Fernando Collor de Mello foi destituído da Presidência da República em dezembro do mesmo ano por força de um *impeachment*. Permaneceu os oito anos seguintes com seus direitos políticos cassados.

PC Farias apareceu morto com a amante em uma praia de Maceió, em junho de 1996.

José Carlos Martinez morreu em um acidente de avião em outubro de 2003.

E Edir Macedo tentaria, ao longo dos anos, superar os piores dias de sua vida. Virou 1992 dono de fato da Record, mas com cicatrizes. Marcas reveladas com uma pergunta ao final de nossa entrevista, ainda em sua casa, em São Paulo, já na sala de almoço. Na ponta da mesa, ao lado da mulher Ester, dos companheiros de igreja Romualdo Panceiro e Clodomir Santos, uma resposta impactante e ao mesmo tempo corajosa.

Perguntamos se enfrentaria tudo novamente pela compra da Record.

– Não. Sinceramente, acho que não. Hoje eu não iria agüentar. Ninguém imagina o que passei, nem minha mulher sabe o que vivi.

Edir larga os talheres apoiados no prato, escorrega a mão direita pela cabeça e nos mira por cima dos óculos.

A resposta ganha tom de confissão.

– Quer saber a verdade? Se eu não cresse no meu Deus, teria dado um tiro na cabeça.

INVESTIGAÇÃO Caso envolve Record
Procurador denuncia bispo Edir Macedo
'Bispo' não pode deixar o País
Justiça
Instituição liderada pelo bispo Edir Macedo faz ataques à Igreja Católica em jornal
Bispo Edir Macedo agora é procurado pela polícia
'Bispo' pode pegar 5 anos de cadeia
Liminar não atinge Edir
JUSTIÇA
Macedo responderá a processo
Polícia quer achar 500 pastores do 'bispo
INQUÉRITO
Justiça vai investigar Igreja Universal
JUSTIÇA
Delegado diz ter provas contra Universal

O ACUSADO

FUGITIVO DA POLÍCIA

Já dono da TV Record e com a concessão em seu nome, uma das decisões mais penosas do bispo Edir Macedo foi definir o rumo de sua empresa. Na cobertura da catedral de Santo Amaro e nos seus endereços fora do país, o tema foi recorrente ao longo de vários encontros. Por vezes, discutimos o assunto em torno da televisão, em pleno horário de novela.

– Temos de denunciar a corrupção do nosso país! Isso tudo é verdade, essa safadeza funciona assim mesmo, desse jeito descarado – esbraveja Edir, diante das perversidades do delegado Nogueira, policial corrupto da novela *Vidas Opostas*, encerrada em agosto de 2007, interpretado pelo ator Marcelo Serrado. – Eu gosto da novela, assisto mesmo. Já passei na mão de muita gente parecida com esse delegado.

No começo da década de 1990, havia grande expectativa sobre o destino da Record nas mãos do novo acionista. O bispo Macedo estava diante de dois caminhos: investir em uma emissora com programação comercial ou criar uma "igreja eletrônica", quer dizer, um canal exclusivo de conteúdo religioso.

O impasse gerou contínuas reuniões do alto comando da Igreja Universal, a maioria delas na casa de descanso da organização em Campos do Jordão, no interior paulista.

– Até dois anos depois da compra da Record, não sabíamos o que fazer – relembra Edir. – Tínhamos um drama de consciência. Deveríamos anunciar bebidas alcoólicas? Cigarros? Como fazer uma televisão de acordo com nossa crença exibindo propagandas desse tipo? Que linha de programação adotar? Deveríamos chocar com princípios morais e éticos que são preservados na igreja?

A discussão dividia os bispos. Parte defendia a postura empresarial, parte, a religiosa, com a formação da primeira tevê do país com programação totalmente evangélica, respeitando, é claro, os limites da legislação que obriga horários mínimos para certos tipos de conteúdo televisivo.

– Nós assumimos esse desafio. Decidimos fazer algo que mostrasse às pessoas que o cristão não é fanático, mas que ele pensa, é inteligente e também faz parte da sociedade – afirma Paulo Roberto Guimarães, um dos pregadores mais antigos da Universal. – Na época, fomos criticados por certos grupos evangélicos.

Edir Macedo foi quem tomou a frente na decisão, já que havia o risco de provocar incompreensão em milhares de fiéis que, daquele tempo até hoje, cada vez mais intensamente assistem na Record a cenas de nudez e violência nas novelas, ao carnaval e homossexualismo na linha de *show*, à agenda do papa e outros tipos de manifestação religiosa registrados pelo jornalismo.

Para explicar seu veredicto, o bispo Macedo recorre a sua primeira pescaria, ainda nos tempos de funcionário da Loteria do Rio de Janeiro. Edir embarcou para alto-mar com um grupo de amigos, guiado por um pescador experiente. Em certo ponto da viagem, o barco passou a girar em círculo. Despejava nas águas vísceras e cabeças de sardinha para atrair os peixes. Só depois de alguns minutos o navegador deu sinal verde para a pescaria.

– Essa é a estratégia. Utilizar o que consideramos incompatível à nossa fé para mostrar um outro caminho à sociedade. É uma visão avançada. A Record está sendo construída, cada vez mais forte, para todos os brasileiros: católicos, espíritas, evangélicos, budistas, muçulmanos e os sem-religião. É uma rota definitiva.

Mas a decisão teve seu preço. A determinação em construir uma tevê competitiva custou a Edir Macedo. Era um tempo em que os jornais e revistas referiam-se ao bispo como "bispo", assim mesmo, entre aspas, e à Igreja Universal como "seita". Mesmo "título" que o papa Bento XVI ressuscitou em sua visita ao Brasil, em maio de 2007. A autoridade suprema da Igreja Católica

MARACANÃ, 1991
Concentração durante visita de João Paulo II não teve presença de Edir Macedo, foragido da polícia

entrou em toda a programação da TV Record rotulando a igreja liderada por Edir Macedo de "seita" – segundo o bispo, prova maior do projeto empresarial de sua emissora:

– Foi uma expressão preconceituosa. É o que define nosso próprio dicionário. Mesmo tratando-se de desrespeito a milhões de evangélicos e aos que professam outras crenças, exibimos sem pudor.

Visitas do papa ao Brasil, aliás, resgatam memórias infelizes de Edir Macedo. Em 12 de outubro de 1991, João Paulo II desembarcou no Rio Grande do Norte para uma visita oficial de dez dias. Uma de suas principais missas aconteceria em Natal, no dia de sua chegada, em pleno feriado. Eram esperadas 300 mil pessoas. A Igreja Universal tinha agendado para o mesmo dia uma outra concentração religiosa, no Estádio do Maracanã, no Rio de Janeiro.

A cerimônia estava confirmada havia meses, mesmo com diversas autoridades do governo pressionando pelo cancelamento, já que o encontro soava como provocação ao Vaticano. Convocado por seus advogados, o bispo Macedo chegou dos Estados Unidos na quarta-feira anterior aos dois eventos para depor num inquérito sobre a compra da Record. De uma hora para outra, porém, o interrogatório na Polícia Federal acabou adiado.

Na sexta-feira à tarde, véspera da reunião no Maracanã, Edir convidava os fiéis pela Rádio Copacabana quando recebeu uma visita urgente de Honorilton Gonçalves.

– Bispo, acabaram de decretar a prisão do senhor – disse Gonçalves. – A notícia já está na televisão, precisamos sair daqui.

Edir Macedo acabara de virar foragido da polícia. Às pressas, ele e Gonçalves iniciaram uma fuga incansável. O bispo passou a noite escondido em Niterói. No sábado, foi impedido de chegar próximo ao Maracanã.

Horas antes da reunião, um dos pastores telefonou para Edir:

– A Polícia Federal espalhou agentes por todo o Maracanã. Eles estão de tocaia, esperando o senhor chegar.

A ausência do bispo não impediu a realização do evento. Estiveram nas arquibancadas do então maior estádio do mundo 120 mil fiéis. Em Natal, o papa João Paulo II reuniu 100 mil pessoas – comparativo que repercutiu na imprensa brasileira e até internacional.

Para Edir, os números da concentração foram ofuscados pelo drama de virar fugitivo da Justiça. No final de semana, ele mudou de esconderijo três vezes.

– Estávamos sozinhos no carro, de uma casa para outra. Eu dirigia sempre. Quando passava alguém do lado, o bispo se escondia – lembra Gonçalves.

– Quando parava no posto de gasolina para abastecer, eu tinha de me abaixar todo. Veja só, correndo o Rio de Janeiro, fugindo da polícia igual a um bandido. Muita gente nem desconfia o tamanho da humilhação que vivemos.

Na madrugada de domingo, Edir Macedo e Honorilton Gonçalves viajaram de carro para São Paulo. Pouco antes das 8 da manhã, o bispo se apresentou na sede da Polícia Federal, no centro da cidade. Foi um dia de depoimentos sob a tutela de Antônio Decaro Júnior, o delegado que mais presidiu intimações aos bispos da Universal na década de 1990. Edir conta que aguardou o dia inteiro pelo fim dos interrogatórios.

DEPOIMENTO
Edir Macedo se apresenta à Polícia Civil de São Paulo

No começo da noite, a liberação. Edir Macedo foi obrigado a deixar o prédio pelas portas da frente, onde esperavam de plantão fotógrafos, repórteres e centenas de manifestantes, a favor e contra.

– Ladrão! Ladrão! – vociferava um grupo, a poucos metros da saída.

Uma bomba caseira de pequeno porte explode na porta da Polícia Federal. Tem início uma ameaça de tumulto, que logo é contida pelos agentes. Edir deixa o local rapidamente.

Tempos depois, de acordo com notícia publicada no jornal *Folha de S.Paulo* de 7 de abril de 1994, o delegado Antônio Decaro Júnior acabou investigado pela própria Polícia Federal por crime de prevaricação em um caso que envolveu uma empresa israelense e autoridades do governo de São Paulo, na gestão de Orestes Quércia.

Segundo os jornais da época, o inquérito foi paralisado com a suposta ajuda de um antigo conhecido do delegado: o juiz João Carlos da Rocha Mattos, que mais tarde seria preso na Operação Anaconda. Coincidência ou não, a medida ocorreu em maio de 1992, o mesmo mês da prisão de Edir Macedo.

– Não podemos condenar ninguém apenas a partir de acusações – disse o bispo, ao saber das denúncias.

Ainda naquela segunda, dia do depoimento em São Paulo, Edir chegou exausto em casa. Disse para a esposa Ester que havia alcançado o limite de seu estado emocional ao fugir da polícia. Pouco depois, já de noite, o telefone tocou:

– Senhor Edir, preciso que volte à delegacia neste momento. O juiz está ameaçando não liberar seu alvará de soltura, disse que pode até expedir outro mandado de prisão – informou um dos advogados.

Horas depois de deixar o prédio da Polícia Federal, o bispo Macedo retornou ao local.

Os processos criminais formavam pilhas enormes nos escritórios de advocacia contratados para sua defesa. Em certo período das investigações, Edir só tinha permissão para deixar o país com autorização da Justiça. A restrição provocou momentos de fúria. Certo dia, no Aeroporto Tom Jobim, no Rio, o bispo Macedo e sua família preparavam-se para embarcar para os Estados Unidos, já sentados na primeira classe da aeronave, quando soa o alto-falante:

– Senhor Edir Macedo, por favor, apresente-se à Polícia Federal!

Os passageiros se olham, curiosos, à procura do "tal bispo". Três agentes federais entram rapidamente no avião.

– O senhor tem autorização para deixar o país? – perguntou, austero, um dos policiais.

– Sim, senhor, tenho! – respondeu, nervoso, o bispo Macedo.

Edir apresentou o documento. A aeronave parada, tripulação e passageiros à espera.

– Por que vocês me pediram a autorização só agora? Eu passei por todo o procedimento legal, inclusive pelo controle da Polícia Federal, e por que só agora?

O policial conferiu o documento, conversou com o outro colega e fez chamadas pelo radiocomunicador. Depois, pediu o passaporte e deixou a aeronave. Nada de liberar o vôo. Passaram-se mais de trinta minutos. Em meio à espera, algumas poltronas atrás, um passageiro gritou:

– Passa a sacolinha!

– Eu não escutei porque estava transtornado, e quando estou assim não escuto ninguém. Se escutasse, partiria para a agressão, atacaria o sujeito que fez essa piada – relembra Edir, que logo após obteve autorização para viajar. – Sou de carne e osso, sujeito a fraquezas como qualquer um. Não sou santo, não sou perfeito.

O ano de 1992 foi turbulento para Edir Macedo.

– Eu saía na rua com receio de ser linchado.

Mas, nos anos seguintes, brotariam outros episódios ainda mais conturbados.

CONFIDÊNCIAS INÉDITAS

O bispo Edir Macedo quebrou um tabu ao falar de sua vida neste livro. Nos últimos meses, conversou sem pudores sobre assuntos proibidos dentro da Igreja Universal. O chute na santa, as imagens caseiras de um ex-bispo, a guerra com a Globo.

Edir credita grande parte de sua imagem negativa, no começo de sua carreira religiosa, à avalanche de reportagens contrárias veiculadas na mídia, em especial na Rede Globo.

– Nos anos 1990, a Universal começou a ter dificuldades com a imprensa. Como uma igreja, que tinha começado em uma funerária no subúrbio do Rio fazia menos de treze anos, conseguia comprar uma das empresas de comunicação mais tradicionais do país? Para os outros órgãos, era um absurdo. Foi aí que começaram os questionamentos – afirma o sociólogo Ricardo Mariano, da Pontifícia Universidade Católica do Rio Grande do Sul, que estuda Edir Macedo há mais de uma década. – Os evangélicos nunca foram os alvos da Globo. O alvo é a Record, por causa da concorrência.

O sociólogo recorda um caso emblemático: uma longa reportagem do *Jornal Nacional*, em abril de 1992, pouco mais de trinta dias antes da prisão do bispo, sobre uma das concentrações de fiéis no Estádio do Maracanã. A matéria mostrava imagens de vários pastores carregando sacolas cheias – para a Globo, cheias de dinheiro; para a Universal, cheias de papéis com pedidos de oração.

– Mesmo dono da Record, o bispo Edir Macedo pouco reagia no início – diz Mariano.

SACOLAS
Para a Globo, cheias de dinheiro; para a Universal, cheias de pedidos de oração

Em agosto de 1995, foi diferente. O programa *Fantástico* exibiu reportagens sobre exorcismo e coleta de dinheiro em cultos evangélicos, num ataque frontal à Igreja Universal do Reino de Deus. Pela primeira vez o bispo decidiu opor-se com vigor. Era o começo de uma disputa feroz batizada pela imprensa de "guerra santa".

Edir, o lado mais fraco, mobilizou seus meios de comunicação para contra-atacar de imediato. O programa *25ª Hora*, espaço locado pela Universal na grade da TV Record, passou a transmitir debates sistemáticos sobre a influência da Globo na sociedade brasileira. O bispo acompanhava tudo dos Estados Unidos e estudava cada tática de ataque.

Edir se recorda com clareza:

– Não podíamos ser massacrados em silêncio. Aprendemos que deveríamos reagir com energia.

No início de setembro os líderes evangélicos utilizaram o programa para fazer eco a sérias denúncias contra Roberto Marinho, fundador e então presidente das Organizações Globo. O *25ª Hora* de um daqueles dias começou com uma locução agressiva:

– A Fundação Roberto Marinho (*menção indireta ao livro Afundação Roberto Marinho, de Roméro da Costa Machado*). Os verdadeiros tentáculos dos donos do poder, que acabam muitas vezes influenciando uma sociedade. Um sistema podre por si só que está ruindo.

– O que fizemos foi apenas dar voz a um exército de pessoas revoltadas com os mandos e desmandos da Rede Globo. Fomos o alto-falante desses brasileiros – afirma Honorilton Gonçalves, mediador e chefe de produção do *25ª Hora* naquele período.

Nos estúdios, o advogado Paulo Sérgio Barbosa, antigo desafeto da Globo, apresentou acusações graves, entre elas a de "dinheiro de bancos estatais para fazer crescer as organizações", "remessas de dólares para o exterior" e "contrabando". Tratou-se de uma longa seqüência de programas sobre a Globo, que alcançavam índices de audiência expressivos para a madrugada da Record em 1995, com até seis pontos de pico no Ibope.

– Tivemos de dar uma cobertura especial aos passos de Edir Macedo. Ele surgiu como um verdadeiro fenômeno pelo seu papel de liderança no segmento evangélico. Houve um receio por parte da Globo quando o bispo comprou a Record. Temia-se que fizesse da Record, como fez de fato, uma grande emissora, de grande audiência, que pudesse competir de frente com eles – afirma o jornalista Fausto Macedo, repórter de polícia do jornal *O Estado de S. Paulo*, que acompanhou de perto o conflito.

Os debates começaram a incomodar a Globo.

– Conforme pedíamos no ar, não paravam de surgir novas denúncias. Gravações telefônicas, vídeos de diretores, documentos, muita gente com munição pesada contra a Globo – lembra Gonçalves.

Os golpes também vinham do outro lado. A Globo abria espaço para um ex-pastor chamado Mário Justino de Souza, então com 30 anos, autor do livro *Nos bastidores do reino – a vida secreta na Igreja Universal do Reino de Deus*. Uma autobiografia em que expunha um leque de ataques contra a cúpula da Universal. Entre eles, o de que foi banido da igreja de Nova York, em 1991, por ser portador do vírus HIV.

– Esse rapaz foi afastado da função de pastor porque foram comprovadas denúncias de homossexualismo contra ele. Não admitimos esse tipo de conduta – comenta Edir.

As investidas contra o bispo cresceram. A briga ultrapassou o limite dos programas jornalísticos e chegou à teledramaturgia. No dia 5 de setembro de 1995, estréia a minissérie *Decadência*, escrita por Dias Gomes, morto em um acidente de automóvel em maio de 1999.

A trama tinha como personagem principal o pastor corrupto dom Mariel, líder da fictícia "Igreja da Divina Chama", interpretado pelo ator Edson Celulari. O enfoque principal do enredo era o curandeirismo e o charlatanismo religioso, com referências nada sutis às igrejas evangélicas. Uma caricatura de Edir Macedo – como revelaria uma reportagem do jornal *Folha de S.Paulo*, segundo a qual falas inteiras do pastor interpretado por Celulari haviam sido extraídas de uma entrevista do bispo Macedo à revista *Veja*.

A minissérie mostrava o pastor Mariel enriquecendo à custa da exploração financeira dos fiéis, em menos de cinco anos à frente da igreja. Sempre com a mesma promessa: "Venham encher os cofres de Jesus. O que vocês derem receberão em dobro". Na cena mais provocadora, uma mulher mantinha relacionamento amoroso com Mariel. A amante põe o sutiã sobre a Bíblia do pastor, que estava aberta sobre a cama em que o casal teve a primeira relação sexual.

Foi um tapa na cara de toda a comunidade evangélica.

Em tom de indignação, a Universal intensificou os debates no programa *25ª Hora*. Edir Macedo, diretamente atingido pela minissérie, também chegou a elaborar uma contra-ofensiva. A idéia constou de reportagem de uma revista *Veja* publicada naquele mês. Sob o título "Guerra santa no vídeo", o texto dizia:

– *Além dos debates do* 25ª Hora, *a Record prepara uma resposta à altura para* Decadência. *Para isso foi convocada a principal estrela desses debates, o*

POLÊMICA

Roberto Marinho liberou 'Decadência'

Segundo Dias Gomes, o presidente das Organizações Globo assistiu aos 12 capítulos antes de irem ao ar

CRISTINA GRILLO

O dramaturgo Dias Gomes, autor da minissérie 'Decadência', exibida pela Globo e que causou polêmica

Autor gera polêmica desde 75

DECADÊNCIA
Minissérie da Globo mostrava pastor como charlatão, com falas retiradas de entrevista de Edir Macedo

Livro 'Decadência' usa frases de bispo

Trechos de entrevista de Edir Macedo em 1990 estão em obra de Dias Gomes que inspirou a minissérie da Globo

FERNANDO MOLICA

Escritor diz que é coincidência

COMPARE OS TEXTOS

Dias Gomes, autor de "Decadência", que inspirou minissérie

TELEVISÃO

'Decadência' entra de salto alto na lama

Minissérie exibida pela Rede Globo tem imagens e condução burocráticas da pior trama de Dias Gomes

Avancini vai para TV Plus

Da Sucursal do Rio

O diretor de TV Walter Avancini assumiu a assessoria de criação da produtora TV Plus. Avancini acumule a nova função com a diretoria-executiva da Fundação Roquette Pinto —mantenedora da TVE (rede de televisão educativa)—, que já vinha exercendo.

Segundo Avancini, sua colaboração se limitará, inicialmente, a assessorar a equipe de criação da novela "A Idade da Loba", que está sendo exibida pela Rede Bandeirantes.

Embora a assessoria de imprensa da TV Plus tenha anunciado a contratação para o cargo de diretor-artístico da produtora, Avancini disse à Folha que isto é "um plano para o futuro". "No momento, vou fazer apenas uma colaboração", afirmou.

Edson Celulari (ajoelhado, ao centro) interpreta o pastor Mariel na minissérie 'Decadência' *escritor Roméro da Costa Machado, ex-funcionário da Globo e autor do livro* Afundação Roberto Marinho. *Roméro está escrevendo uma minissérie cuja sinopse já se encontra pronta. Ele próprio resume o que escreveu: "Será a história de um jornalista medíocre que herda um jornal falido do pai, faz pacto com o golpe armado pela CIA (*Agência Central de Inteligência dos Estados Unidos*), associa-se à ditadura, funda uma emissora de tevê e, às custas de chantagem, enriquece loucamente".*

O então diretor de programação da Record, Eduardo Lafon, confirmou a informação:

– Existe a idéia de produzir essa minissérie, sim. É uma história que, por coincidência, faz lembrar o Roberto Marinho.

Edir Macedo explica por que o projeto não se concretizou.

– Desistimos porque a Record não tinha a estrutura de teledramaturgia que temos hoje no Rio de Janeiro. Quem sabe não retomamos a idéia?...

No decorrer da minissérie, os evangélicos reagiram com reportagens indignadas em outro veículo de comunicação: o jornal semanal *Folha Universal*. A tiragem na época, de 1 milhão de exemplares, superior à dos principais jornais e revistas do país, trazia manchetes como "Desespero: a 'fantástica' Globo está em decadência" e "Desmoralização e arbitrariedade no jornalismo da Globo".

O cerco, na opinião de Edir, gerou resultados positivos:

– A igreja cresceu muito naqueles tempos. Sempre é assim: quando tudo está contra, o trabalho avança. A perseguição fez a igreja se desenvolver ainda mais.

Os ataques de fora fortaleceram a figura de Edir Macedo para os membros da Universal. Mas um tropeço de dentro, cometido por um de seus aliados, tornou-se um dos mais duros golpes em toda a trajetória do bispo.

CHUTE NA SANTA

Dia 12 de outubro de 1995, feriado de Nossa Senhora Aparecida no Brasil. Nas primeiras horas de quinta-feira, o bispo Sérgio von Helde, antigo integrante da Igreja Universal e conhecido de Edir Macedo, apresenta o programa evangélico *O Despertar da Fé*. Com base em versículos da Bíblia, critica a veneração por imagens de santos. Para ilustrar seu discurso, Von Helde dá chutes em uma imagem de cerca de 1 metro de altura, que ele mesmo havia comprado.

O número de televisores ligados àquela hora na TV Record era irrisório. Mas o fato ganhou ressonância, na noite do dia seguinte, na voz de Cid Moreira:

– Bispo da Igreja Universal do Reino de Deus provoca polêmica e indignação em todo o país! Ele agrediu a imagem de Nossa Senhora Aparecida durante um programa religioso transmitido pela TV Record, ontem, em São Paulo.

O *Jornal Nacional*, então líder absoluto de audiência, deu evidência ao acontecimento. A notícia começou com texto do repórter Ernesto Paglia, enquanto eram exibidas imagens do programa da Universal:

– No dia da padroeira do Brasil, o pastor da Igreja Universal do Reino de Deus Sérgio von Helde resolveu protestar contra o feriado católico. Durante o programa que ele apresenta na Rede Record de Televisão, *O Despertar da Fé*, o pastor evangélico usou uma imagem de Nossa Senhora Aparecida para acusar a Igreja Católica de lucrar com a adoração de santos. Diante das câmeras, reforçou seus argumentos com gestos agressivos.

Em seguida, o principal telejornal da Globo selecionou o trecho mais polêmico do programa, com as declarações de Von Helde:

– Nós estamos mostrando às pessoas que isso aqui não funciona. Olha só, olha só (*socos e chutes na imagem*). Não é santo coisa nenhuma. Isso aqui não é Deus coisa nenhuma. Quinhentos reais, meu amigo. Isso, cinco salários mínimos, é quanto custa no supermercado esta imagem. E tem gente que compra. Agora, se você quiser um santo, uma santa mais barata, você encontra até por 100. Será que Deus, o criador do Universo, pode ser comparado a um boneco desse tão feio, tão horrível, tão desgraçado?

Só então a cúpula da Universal se deu conta do tamanho do estrago. Edir estava com a família na igreja em Miami, nos Estados Unidos, quando recebeu uma ligação do Brasil comunicando o estardalhaço.

– Na hora, soube que foi um erro... Nosso maior erro – conta Edir Macedo, numa declaração inédita, doze anos depois do episódio.

– Imediatamente entrei no ar pela televisão e pelo rádio pedindo desculpas. Desculpei-me em rede nacional pela infantilidade do Sérgio.

O assunto invadiu os noticiários. A imagem dos chutes foi exaustivamente repetida nos dias que se seguiram. Uma enxurrada de queixas inundou delegacias e fóruns de Justiça. Pessoas comuns, delegados e promotores acusavam Sérgio von Helde de crimes como vilipêndio – o menosprezo público a objeto de culto religioso – e desrespeito ao direito constitucional de liberdade de culto.

Interrogado, Von Helde disse que não havia chutado a imagem da santa, mas apenas "batido de leve" para provar que não se tratava de um ser humano. Não adiantou. A Igreja Universal sentiu reflexos em várias partes do mundo. No México e na Espanha, por exemplo, os freqüentadores dos templos diminuíram radicalmente.

– O Sérgio criou um problema na igreja. Atrasou nosso trabalho em dez anos. Ficamos parados no tempo por causa daquele chute. Atrapalhou a igreja, atrapalhou todos os nossos projetos. Nós estaríamos lá na frente, poderíamos ter ajudado muito mais gente se não fosse aquele ato impensado – reflete Edir.

A repercussão afetou a Record comercialmente. Contratos publicitários foram cancelados e grandes anunciantes fugiram da emissora.

– Foi uma fase turbulenta. Os negócios deixaram de andar. Nosso departamento comercial foi atingido em cheio – conta Demerval Gonçalves.

Nas ruas, o chute na imagem foi interpretado como ultraje à Igreja Católica – e acendeu a revolta de seguidores de diversas religiões contra fiéis da Universal. País adentro, foram registrados ataques a templos evangélicos por parte de católicos, armados de pedras, paus e até armas de fogo. Obreiros foram proibidos de circular livremente com uniforme da igreja. Membros acabaram expulsos de casa pelos próprios familiares.

– Fomos tachados de radicais – recorda Edir. – Foi um erro. Um erro grave. E quem sofreu de verdade foi nosso povo.

Em 2006, Sérgio von Helde deixou a Universal. Foi punido por maltratar outros pastores em Nova York, nos Estados Unidos, onde desenvolvia sua função religiosa.

– Ele mesmo pediu para sair. Hoje continuamos tentando ajudá-lo espiritualmente – diz o bispo.

FIM DO SILÊNCIO

As dissidências pontuaram o caminho de Edir Macedo até 1995. Todas se desenrolaram sem maiores transtornos. Edir sempre foi conciliador com pastores que deixavam seu "rebanho" por razões que não fossem a de desvio da conduta moral estabelecida pela Igreja Universal. O bispo mesmo incentivava a saída amigável dos pregadores que simplesmente desistiam da vocação religiosa.

Por esse motivo, a reação de um pastor desligado da instituição espantou os comandantes da igreja. Não apenas Edir Macedo se sentiu agredido com a postura do ex-companheiro de púlpito, mas também os demais líderes.

O pernambucano Carlos Magno de Medeiros era um simples operário em Recife que, pouco a pouco, foi alçado a um dos principais dirigentes da Universal do Nordeste. Tornou-se arqui rival da instituição ao divulgar imagens caseiras, gravadas por ele mesmo, para instigar outro levante na programação da Rede Globo.

O espanto dos bispos ocorreu no dia 22 de dezembro de 1995, quando Carlos Magno surgiu como personagem central em uma reportagem de nove minutos no encerramento do *Jornal Nacional*. O tempo é raríssimo em telejornais diários. Às vésperas do Natal, o Brasil conheceu particularidades da cúpula da Igreja Universal.

– Exclusivo: o *Jornal Nacional* mostra as imagens proibidas da Igreja Universal do Reino de Deus. A fita de vídeo gravada por um ex-dirigente da Igreja revela: Edir Macedo, na intimidade, tem discurso bem diferente daquele usado nos templos. E até ensina pastores a tomar dinheiro dos fiéis – anunciou Sérgio Chapelin, então a voz oficial do *Jornal Nacional*.

A gravação começa com uma partida de futebol entre líderes da Universal, no descanso de uma reunião em Salvador, na Bahia. Ao fim do jogo, Edir Macedo prega aos pastores. Enfaticamente, explica a maneira de pedir oferta e como obter o respeito dos fiéis. Mais adiante, Edir aparece ao lado de outros pastores contando dólares doados no templo da ilha de Manhattan, nos Estados Unidos. Bispos também aparecem nos corredores de um hotel em Jerusalém e no mar de Angra dos Reis, litoral do Rio de Janeiro. E, na última parte, Edir Macedo dança forró em Copacabana.

– O *Jornal Nacional* procurou dirigentes da Igreja Universal do Reino de Deus para comentar as imagens da fita. Ninguém quis falar sobre o assunto. Até amanhã – encerrou William Bonner, o outro apresentador da bancada.

Assim terminou o histórico *Jornal Nacional* de 22 de dezembro de 1995. Sem o tradicional "boa noite" – uma cena pouco vista nos 38 anos do telejornal.

Hoje, o bispo Edir Macedo encara o episódio com indiferença. Em meio às entrevistas que nos concedeu, ele aceitou falar sobre o assunto.

É um depoimento exclusivo, após doze anos de silêncio absoluto.

No dia anterior a nossa conversa, na catedral de Del Castilho, no Rio de Janeiro, Edir assistiu às imagens de Carlos Magno. Conta que autorizou seus advogados a brigarem na Justiça pela retirada do vídeo da internet por considerar a edição da TV Globo tendenciosa e de má-fé.

Queremos saber o que ele sentiu ao ver as cenas.

– Nada. Aqueles eram simples momentos de descontração. Não havia nada demais, não fizemos nada de errado, não havia pecado. As imagens foram claramente manipuladas para a construção de uma reportagem negativa, perversa, difamatória.

Perguntamos se Edir Macedo e os demais dirigentes da Universal estavam mesmo vivendo momentos de lazer em Angra dos Reis.

– E o que há de mais? O pastor da Igreja Universal dedica 24 horas a seu trabalho. Televisão, rádio, cultos, orações. Nossos pastores não têm descanso, com exceção de um sábado ou outro. São voltados exclusivamente a ajudar centenas de pessoas que, todos os dias, chegam destruídas às nossas igrejas.

Naquele dia, os pastores e suas esposas estavam juntos, como sempre acontece. Era um instante de folga. Eles brincam entre si, é natural, somos gente como qualquer um. Não havia pecado, erro. Eram momentos de descontração entres os pastores e suas famílias.

Dias depois da reportagem da Globo, o programa *25ª Hora* voltou ao contra-ataque com uma revelação: peritos comprovaram que houve montagens de edição no material exibido. Apontaram supostas distorções no rosto do bispo Macedo, na figura de fundo do *Jornal Nacional*, com o nariz levemente esticado – para os especialistas, uma mensagem subliminar que aludia ao personagem Pinóquio.

E o mais grave: comprovaram erro do repórter ao informar que as notas contadas por Edir Macedo eram de 100 dólares, quando a aproximação das imagens mostrava apenas notas de 1 dólar. Dois dias depois, o *Jornal Nacional* assumiu a falha e corrigiu a informação em editorial. O *25ª Hora* daquela noite estourou em audiência. O programa acusou a Globo de manipulação escancarada, comparando os recursos tecnológicos da Record com os da Globo, na época bem superiores aos das demais emissoras.

O bispo recorda-se da gravação:

– Quando a igreja em Manhattan começou, não tinha escritório, mesa, uma cadeira sequer. Naquele dia, eu e os pastores contávamos as ofertas do povo com alegria. Estávamos felizes da vida porque, após um período de dificuldades, enfim, tínhamos condições de pagar nossas contas e investir no crescimento da igreja. Não há coisa melhor para um pastor do que ver os frutos do seu trabalho. Entender é fácil. Qualquer pessoa que chega à igreja e é abençoada retorna com suas ofertas automaticamente. Quanto mais a pessoa é abençoada, mais ela dá. Se você fosse e recebesse, não daria? É simples, mas a reportagem conduziu para algo obsceno e criminoso.

Voltamos às imagens de Salvador. Lembramos Edir Macedo de que o uso da expressão "dá ou desce" gerou inúmeros questionamentos a sua postura de líder religioso.

– Eu tenho uma forma de expressar muito rude. Uso propositadamente expressões chulas para alcançar o povão. Foi o que eu disse aos pastores naquele campo de futebol. Ou a pessoa dá ou desce, ou seja, ela não pode ficar em cima do muro, não pode ficar entre dois pensamentos. Ou a pessoa dá ou não recebe. É a nossa fé, é o que a Bíblia prega.

Edir Macedo admite que deveria ter usado outra maneira de comunicar sua mensagem.

– A expressão que eu usei não tem nada a ver com aquela piada suja. É como eu costumo dizer: "Toma lá, dá cá". Essa era a expressão que eu deveria ter usado naquele momento, mas na hora não usei. Não me arrependo, não. É nossa mensagem de fé que tem transformado milhões de pessoas no mundo inteiro.

O ano de 1995 chegou ao fim com a opinião pública dividida. Parte considerava que o bispo Edir Macedo merecia tamanha achincalhação, parte que a Globo agia movida por interesses comerciais e religiosos.

– Até as revistas semanais não tiveram mais como fugir ao assunto, e não economizaram papel e tinta para tratar da falada "guerra santa no ar", com longas matérias e direito até a capas especiais sobre a briga Igreja Universal *versus* Rede Globo. Esse era o ponto exato do qual não se poderia mais voltar. Até porque a Globo só respeita pancada e quem pode dar pancada. Porque, do resto, dos subservientes, ela passa por cima, sem dó nem piedade – retratou Roméro da Costa Machado em um artigo de abril de 2005, publicado no site www.fazendomedia.com.

Em meio aos ataques, a *Folha de S.Paulo* dedicou ao tema um caderno especial inteiro intitulado "Guerra santa". O assunto correu o mundo. Até o jornal americano *The New York Times*, um dos mais conceituados do planeta, tratou do assunto na edição de 27 de dezembro de 1995. A queda-de-braço cresceu. Tomou tamanha proporção que virou assunto de Estado. O Palácio do Planalto se viu obrigado a intervir no fogo cruzado.

A tentativa de armistício, porém, começou pelo lado de maior poder de tiro. O então ministro das Comunicações do primeiro governo de Fernando Henrique Cardoso, Sérgio Motta, chamou representantes da Record para uma conversa a portas fechadas. Foram dois encontros: um no próprio Ministério, em Brasília, e outro em São Paulo, na base do órgão na cidade.

Demerval acompanhou Honorilton Gonçalves numa das reuniões com o ministro, no dia 3 de janeiro de 1996. O diálogo não foi nada amistoso.

– Já conversei com a Globo. Está tudo resolvido. Vocês têm de parar com esses ataques – disse Sérgio Motta.

– Se a Globo não parar antes, senhor ministro, nós não podemos parar. Se eles não pararem, nós também não vamos – respondeu Honorilton.

– Eu vou punir vocês!

– Pode fazer o que o senhor quiser. Mas nós vamos continuar, se eles não pararem. E será uma guerra pesada.

Conversa encerrada. Sérgio Motta convocou novamente os representantes de Roberto Marinho. No dia seguinte, 4 de janeiro de 1996, a Rede Globo divulgou no *Jornal Nacional* um editorial afirmando que "fazia jornalismo" e "não guerra de emissoras".

Os pormenores da negociação vieram a público dois meses depois. No dia 2 de março, *O Estado de S. Paulo* publicou uma nota com o título "Motta intercedeu no conflito entre Globo e Record". O jornal noticiou que as duas redes de tevê pararam com a agressiva troca de acusações por ordem da Presidência da República. Nos bastidores em Brasília, era certa a informação de que, sem saber como frear o conflito, a alta direção da Globo teria pedido a intercessão do governo federal.

– Fiz um apelo para que as divergências entre as duas emissoras fossem resolvidas na Justiça e não por meio de comunicação social – informou o ministro ao jornal.

A "guerra santa" terminou, mas as seqüelas permaneceram. O Ministério Público e a Justiça Federal voltaram à carga com novos processos criminais contra Edir Macedo.

– Até hoje, nada foi comprovado. A Globo nos atacou tanto, por anos e anos seguidos, fomos investigados à exaustão e nunca fomos condenados pela Justiça. Nunca. O que motivou os ataques da Globo? – pergunta o bispo.

Durante dias, conhecemos a estrutura jurídica montada para defender Edir Macedo e a Igreja Universal em São Paulo, comparável aos mais respeitados escritórios de advocacia do Brasil. Vasculhamos relatórios sigilosos, de circulação interna, cujo acesso é autorizado somente ao bispo.

O balanço surpreende. Desde 1990, antes mesmo de sua prisão, foram instaurados 21 processos e inquéritos criminais contra Edir Macedo Bezerra. Hoje, em outubro de 2007, o Judiciário brasileiro inocentou-o em vinte processos. O que falta é uma acusação de descaminho contra ele e diretores da Record, ou seja, importação de mercadoria estrangeira sem pagamento de tributos, que, segundo a defesa da emissora, trata-se de um golpe de um ex-despachante que prestava serviços à tevê.

As denúncias-crimes se espalham por centenas de páginas de documentos. Falsidade ideológica, crimes contra a Fazenda Pública, sonegação fiscal, estelionato, charlatanismo, curandeirismo, seqüestro de bens, formação de quadrilha, vilipêndio, crime contra a ordem tributária, incêndio criminoso, comparação indevida entre homossexual e criminoso, racismo, incitação ao crime, preconceito religioso, calúnia e difamação. Do total de processos e inquéritos, cinco prescreveram e quinze foram arquivados por falta de provas.

O POLEMISTA

DINHEIRO NA IGREJA

— O Deus deste mundo é o dinheiro. Os banqueiros não me deixam mentir. Oferta é investimento. Isso mesmo: oferta é investimento.

As palavras geram reações diferentes na platéia. Estamos numa reunião seleta para grandes empresários, integrantes da Igreja Universal. A maioria está ali para ouvir a palestra do bispo Edir Macedo. Donos de indústria, comerciantes de peso, altos executivos, médicos famosos e outros profissionais liberais renomados. O público supera duzentas pessoas, num salão de acesso limitado, no sétimo andar da catedral de Santo Amaro, em São Paulo. Um dos temas principais é prosperidade financeira.

Estivemos em vários desses encontros, para mostrar a mais controversa das práticas da Universal: a ênfase na coleta de dízimos e ofertas.

Optamos por um estilo de reportagem diferente neste capítulo para fugir de preconceitos ou estigmas. Reunimos uma seleção de perguntas e respostas sobre dinheiro formuladas ao longo dos meses de apuração deste livro.

Edir Macedo vai falar. Sem censura.

Dar dinheiro à igreja é um investimento?

As pessoas não devem dar oferta para ajudar a igreja, mas para ajudar a si próprias. Quem dá está fazendo um investimento em si, na sua vida. É o que mostra a Bíblia. Quem dá tudo recebe tudo de Deus. É inevitável. É toma lá, dá cá.

A Igreja Universal é duramente combatida pela Igreja Católica, e até por determinadas alas protestantes, por praticar a "teologia da prosperidade". Qual sua análise sobre essas críticas?

A primeira cerimônia oficial feita neste país foi uma missa. E o que aconteceu até hoje? Por séculos, o clero católico ensinou os brasileiros a aceitarem a miséria, a se conformarem com a pobreza, enquanto o Vaticano sempre desfrutou de riqueza. A história mostra isso. Outro dia, o Marcelo (*Crivella, senador*) me contou que, em uma sessão pública em Brasília, encontrou um senhor que, durante toda a juventude, trabalhou nos engenhos de cana-de-açúcar de Pernambuco. Mesmo na velhice, ele lembrou que era obrigado a cantar nas missas uma música com a seguinte letra: "Meu Deus, eu não quero riqueza não, eu só quero um cantinho no céu com o Senhor".

O senhor está afirmando que a Igreja Católica tem interesse na pobreza?

A Igreja Católica sempre impregnou na cabeça das pessoas que riqueza é coisa do mal e que a pobreza é boa. Eles querem que eu pregue a "teologia da miséria"? Querem que eu pregue a pobreza? Querem que as pessoas sejam pobres e a igreja rica? Eu prego o que Jesus falou. Ele veio trazer vida, e vida com abundância. Está escrito na Bíblia católica também. Eu acredito que Deus deseja o melhor para cada um de nós. Qual é o pai ou a mãe que deseja o pior para seu filho? O pai é rico e os filhos são miseráveis. Qual o sentido disso?

Desculpe, mas quando se trata de coleta de doações, o senhor sempre teve um conceito popular bastante questionável...

Não precisa se desculpar. Diga o que você quiser. O que você quer falar? Que acha o bispo Macedo um ladrão, um enganador, que ilude as pessoas? Pode perguntar.

...o ponto é que o senhor sempre foi acusado de explorar os miseráveis. Como o senhor reage a essas afirmações?

É questão de raciocínio. Se uma pessoa vem à igreja e é explorada, não recebe nenhum benefício, ela nunca mais volta. Ou voltaria para ser explorada novamente? Claro que não. A Igreja Universal começou com poucas pessoas. As que estão conosco até hoje é porque têm sido beneficiadas. Somos acusados de exploração da boa-fé por puro preconceito. Por inveja do sucesso da igreja e do meu trabalho como pregador. Trabalho que gera resultado na vida das pessoas. Analise a história de quem está na igreja. A maioria entrou falida, sem nada, fracassada na vida econômica, e hoje são empresários bem-sucedidos, donos de negócios lucrativos, carros, casas, bens que não acabam mais. E o mais importante: tiveram a família reconstruída, a felicidade de volta. Pergunte a elas, não a mim. Eu sou o explorador? A igreja cresce porque o povo é beneficiado. As pessoas que mais focamos são as fracassadas. E por quê? Porque o Deus em que cremos é um Deus vivo. Em razão disso, Deus se torna obrigado a corresponder às necessidades das pessoas. Ou Deus existe e atende ao clamor delas ou Deus simplesmente não existe.

O que justifica a cobrança do dízimo?

Veja o exemplo da terra arrendada a um trabalhador: depois de cultivada, 50% do que dela se retira é do dono da terra, a outra metade é do

DÍZIMO
Envelope distribuído nos templos da Universal

arrendatário. Na igreja, os primeiros 10% são colocados na obra de Deus. Ele é o dono da terra, de nossa vida. Esse gesto é um sinal de consideração, de respeito e de fé. Não é um ato abstrato, teórico. É um compromisso que revela a fé prática. A de que Deus fica obrigado a esse compromisso com a pessoa que deu o dízimo, fica obrigado a cumprir a promessa que está na Bíblia: "Trazei o dízimo e eu abrirei as janelas do céu". Além disso, não impomos nada. Não cobramos o dízimo de ninguém. Apenas conscientizamos as pessoas dessa prática. É questão de colocar Deus em primeiro lugar na vida. Dízimo são as primícias. Ou seja, os primeiros frutos. Quando na festa de aniversário a criança parte o bolo, a quem ela oferece a primeira fatia? De fato, a pessoa que receber é considerada a mais importante na sua vida. O dízimo é a primeira fatia do bolo.

O que o dinheiro significa para o bispo Macedo?

É a mola mestra da sociedade, do nosso dia-a-dia. É um péssimo senhor, mas um bom servo. Eu não sou escravo do dinheiro. Sou senhor dele. E para usar tudo em benefício da obra de Deus, em benefício geral da igreja.

O senhor está rico?

Rico? Muito. Talvez seja o homem mais rico deste mundo. Sou milionário. Tenho uma família maravilhosa. Faço o que gosto, falo de Jesus. Tenho liberdade. Não vivo à base de tranqüilizantes. Sou uma pessoa livre. Quer riquezas maiores que essas?

Entendemos. Mas quantos bens possui em seu nome?

Sou proprietário da Record e da Rádio Copacabana, do Rio de Janeiro. Além disso, tomei empréstimo bancário há pouco tempo para a compra de um apartamento nos Estados Unidos. Pretendo saldá-lo com os direitos autorais das vendas dos meus 34 livros. Mas o empréstimo é para pagar em trinta anos.

A Igreja Universal tem hoje empresários que pagam dízimos vultosos, fazem grandes doações. Recorda-se de alguma especial?

Tem pessoas que dão ofertas maiores e menores. O povo em geral é que oferta. Mas não me lembro de nenhuma especial. Por exemplo, nunca recebemos um patrimônio de herança, como é de costume na Igreja Católica.

O que é feito com o dinheiro que entra na igreja?

Pagamos nossas despesas mensais. Os números são exorbitantes. Manutenção dos templos, programação de rádio e televisão feita pelos pastores, folha de pagamento dos funcionários, aluguéis, ajuda de custo dos pastores e mais um batalhão de compromissos. Além disso, investimos pesado na construção de novas igrejas.

As catedrais têm custo altíssimo. Por que esse tipo de investimento?

O objetivo é abrir a cabeça do pobre que dá oferta. Na sua casa, ele senta no sofá rasgado ou até no chão. Na igreja, ele é honrado. Tem o direito

REQUINTE
Conforto e acabamento luxuoso nas catedrais de vários países

de sentar em uma cadeira estofada, com ar-condicionado, usar um banheiro limpo. Recebe um atendimento exemplar. Eu quero mostrar que ele é capaz de conquistar coisas grandes, uma vida melhor. Algo como dizer: "Veja a grandeza de Deus. Sua casa é um barraco? Olha o que Deus pode fazer. A Igreja Universal também começou em um barraco, mas olha como está hoje. Você precisa investir nesse Deus".

Como é a movimentação financeira da Igreja Universal?

Eu apenas acompanho o todo. Sei por alto quanto a igreja arrecada nos principais países, mas não tenho o controle exato. Vejo a entrada e a saída. Se a entrada é menor que a saída, agimos. Controlamos as despesas com mais rigor.

O senhor pode revelar alguns números? Arrecadação ou a remuneração dos pastores, por exemplo?

Não sei de cabeça. Ainda assim não seria bom dizer. São informações de circulação interna.

Como administrar um volume tão grande de dinheiro numa igreja?

É uma administração bem centrada. A nossa matemática com os recursos é uma só: somar e diminuir. O que entra e o que sai. Quando o saldo é negativo, protelamos um pouco, recorremos aos bancos, seguramos as contas. Não temos reserva, não acumulamos capital. O dinheiro que entra fica no banco até ir diminuindo com as despesas. Ou até o momento em que damos um passo maior de investimento para a igreja.

Qual é a prioridade nos gastos?

Exijo sempre responsabilidade com os compromissos. Bandido não paga dívida. Pagamos o que devemos. Sem dúvida. Aos olhos da liderança da igreja, a oferta é algo sagrado, é sacrifício. É o sangue das pessoas. Por isso, exigimos a coisa correta. O dinheiro tem de render, precisa aparecer. É como se Deus estivesse ali.

Quem faz a gerência das finanças? O senhor pessoalmente?

Não, o bispo que toma conta da igreja em cada país.

Como é realizado o controle do caixa?

Não existe nenhuma espécie de relatório, documento, nada. Só quero saber se a igreja está crescendo. Aí vou até o país, faço reuniões, determino estratégias. No Brasil também é assim. O bispo ou o pastor regional não podem se preocupar com dinheiro, mas sim em ganhar almas. O trabalho deles é estritamente espiritual.

Dá para ter confiança?

É o retorno do investimento nos pastores. Eu acredito neles, confio a vários deles sérias responsabilidades da igreja. Quando um pastor é colocado em um determinado estado ou país, ele recebe autoridade sobre aquele lugar. É o ministro local. Se for espiritual, bem casado, não dará problemas.

E se um pastor ou bispo trair sua confiança? Como descobrir um roubo, por exemplo?

O povo, os obreiros e os demais pastores fiscalizam. Recebemos denúncias por *e-mails*, cartas, telefonemas. E quando comprovadas, somos radicais. O pastor é imediatamente desligado.

Quem decide os investimentos na igreja?

Depende. Investimentos menores são os próprios bispos locais. Por exemplo: um pastor quer comprar um terreno para construir uma igreja de bairro para quinhentas pessoas. Não preciso nem saber detalhes. Dá para comprar? Compra. Só faço questão de ser informado. No Brasil ou nos países da América Central, o Romualdo visita os terrenos e aprova as construções. Trocamos informações rapidamente e vamos em frente. É assim: rápido e objetivo. Não há burocracia na tomada de decisão em nenhuma situação.

Mesmo no caso da construção de um grande templo, por exemplo? Conhecemos igrejas que custaram milhões de dólares.

Aí eu decido junto com o conselho de bispos. Eu discuto as coisas macro. Das pequenas, eles mesmos cuidam. Eles sabem o que fazer, não preciso nem falar.

Existe algum acompanhamento técnico?

Nesses casos, é evidente. Temos assessoria jurídica, financeira, de engenharia.

Quem paga as contas da igreja? Existe a figura do tesoureiro?

Nenhum bispo assina cheque. Quem assina é o tesoureiro da igreja, um funcionário de confiança.

A igreja transporta dinheiro vivo? O caso da apreensão das malas, em Brasília, mostrou que sim.

E não é errado, não há ilegalidade. Havia guias de depósito, tudo direitinho. O delegado em Brasília é que foi arbitrário. Tanto que em Minas um outro delegado, também da Polícia Federal, não apreendeu as ofertas. Considerou tudo normal. Como explicar? Não depositamos o dinheiro no banco pela burocracia das agências em alguns estados brasileiros. No Pará, por exemplo, um pastor foi assaltado ao voltar do banco, que tinha se negado a depositar a oferta por ter grande quantidade de notas miúdas. O problema é que no Brasil o rigor da lei existe só para alguns.

A igreja recebe ou já recebeu ajuda financeira do governo?

Você está querendo me aborrecer... Nunca, jamais. E graças a Deus por isso. Somos livres. Eu ando com minhas próprias pernas, não preciso dar satisfações a ninguém.

A Igreja Universal é acusada de injetar recursos financeiros na Record. O que há de verdade e mentira nessas denúncias?

A Igreja Universal nada mais é que um dos clientes da Record. Ela aluga espaços na programação da emissora e, como qualquer outro anunciante, paga por esses espaços. A igreja paga pelo aluguel da madrugada, horário, aliás, que a Globo e o SBT não querem alugar. Já recebemos diversas respostas negativas, principalmente da Globo, para nossos pedidos em comprar espaço nesses dois canais durante a madrugada. A Record está crescendo com suas próprias pernas. Há pouco tempo, eu mesmo tomei conhecimento de um empréstimo bancário altíssimo feito pela Record para a construção e as ampliações do RecNov. Investimos porque acreditamos no retorno. A Record ainda vai crescer muito.

A ata de assembléia da Rede Record, registrada na Junta Comercial de São Paulo, afirma que, apesar de a empresa apresentar lucro em 2006, não houve repasse de dividendos para o acionista. O senhor não faz retiradas da Record?

Eu não tiro nada da Record. Nada. Nem o telefone de lá eu gasto. São dezoito anos sem tirar um centavo. E poderia até tirar, estaria no meu direito. Mas todo lucro é reinvestido na própria emissora. É uma atitude de fé. A Record será a número 1.

Qual o segredo para a prosperidade?

Deus é muito grande, mas é preciso entregar a vida inteiramente nas mãos Dele. Se ficar rateando, tentar negociar, não vai adiantar. É tudo ou nada.

Como assim?

O passado mostra que Abraão, Isaac e Jacó tinham um Deus grande, que prosperou, grandiosamente, a vida deles. E a Bíblia diz que Deus não mudou. Quando alguém faz um sacrifício financeiro, Deus fica sem opção. Ele tem a obrigação de responder, porque é sua promessa. É a fé. Basta seguir o que Deus disse: "Provai-me nos dízimos e nas ofertas". Você não acredita, não?

Gostaríamos de não emitir opinião.

Sabe por que a Igreja Universal cresce? Porque o dinheiro aparece, não vai para a mão do bispo. Se eu tivesse objetivos pessoais, não construiria grandes templos, catedrais com todo conforto no mundo inteiro. Construiria igrejinhas simples e pegaria o resto do dinheiro. Isso é óbvio. Se eu fosse desonesto, a Igreja Universal não seria o que é hoje.

LIGAÇÕES POLÍTICAS

Edir Macedo acompanha a política no Brasil a distância. Mas mantém um grupo de bispos assessores que lhe passam notícias atualizadas sobre os acontecimentos mais importantes da capital do país. A bancada evangélica hoje é respeitável, embora tenha diminuído nos últimos tempos. Tem representantes nas principais esferas do Poder Legislativo. São sete deputados federais, dezenove deputados estaduais, 91 vereadores e um senador da República integrantes da Universal – alguns absorvidos pelo PRB, o Partido Republicano Brasileiro, fundado em agosto de 2005.

A construção dessa estrutura começou em 1986, com o apoio a candidatos à Assembléia Legislativa e à Câmara Municipal do Rio de Janeiro. Força que cresceu na mesma proporção da igreja nestes últimos trinta anos. Hoje, o bispo Macedo é respeitado entre os parlamentares e demais autoridades políticas. Não apenas pela expressividade dos políticos da igreja, mas, sobretudo, pela robustez dos milhões de votos que carrega consigo.

A maior liderança evangélica do país passou a ser tratada, de alguns anos para cá, com mais atenção pelos governantes. Ter Edir Macedo como inimigo nunca foi bom negócio para quem depende do apoio das classes mais populares para se manter no poder. Ao longo das últimas décadas, as ligações do bispo com Brasília proporcionaram encontros com os grandes caciques políticos. E, em especial, com a maioria dos presidentes da República – versões reveladas pela primeira vez neste livro.

O Palácio do Planalto e o da Alvorada não são estranhos para Edir

Macedo. Os relacionamentos sempre foram superficiais, mas, em sua maioria, aconteciam movidos pela importância do cenário político da ocasião.

Antes mesmo de 1989, Collor foi o primeiro presidente com quem Edir se relacionou. E entregou-se de corpo e alma. A primeira conversa oficial ocorreu no Rio de Janeiro, ainda no início da campanha que lhe daria a faixa presidencial, em 1989.

RADAR EM BRASÍLIA
Noticiário político pelo computador

– Vamos te apoiar, Collor, mas eu vou pedir uma coisa para você – disse Edir Macedo.

– Pois não, bispo?

– Quero fazer a oração no dia de sua diplomação a presidente. Vai ser a primeira vez que um pastor irá orar por um líder da nossa nação.

– Está fechado – disse Collor, estendendo a mão para selar a promessa.

– A mão dele era grande, me lembro desse detalhe – recorda o bispo. – Senti convicção na hora.

Edir passou a fazer pessoalmente propaganda eleitoral para Fernando Collor. Declarou publicamente seu voto várias vezes. Chegou a ser fotografado abraçado ao candidato, vestindo uma camiseta de campanha, com os tradicionais dois "eles" de Collor em verde e amarelo.

Em 1º de janeiro de 1990, dia da posse, Collor ignorou o pedido de Edir.

Dois anos depois, encontrou-se novamente com o presidente, dessa vez na casa do deputado Paulo Octávio, em Brasília, como revelado no capítulo "Além da versão oficial", quando obteve a promessa da assinatura da concessão da Record.

Edir Macedo não teve nenhum encontro com Itamar Franco, que substituiu Collor, e pouco se relacionou com José Sarney. Encontrou-se com ele somente na época em que o político maranhense era senador. Foi um encontro cordial.

Nos anos dos mandatos de Fernando Henrique Cardoso, o bispo dedicou-se com intensidade a suas missões religiosas fora do Brasil, o que o impediu de reunir-se com o então presidente.

O encontro mais próximo com a alta direção do PSDB, quando o partido estava no poder com FHC, foi no escritório da Igreja Universal de Brasília, um templo de arquitetura fina, próximo ao Tribunal de Justiça do Distrito Federal. Era o final do primeiro mandato de Fernando Henrique. Seus índices de popularidade já não eram dos melhores. A ordem na cúpula do PSDB era buscar forças aliadas nas mais diferentes esferas da sociedade. O deputado federal José Roberto Arruda, então líder do governo na Câmara e atual governador do Distrito Federal, foi quem esteve com o bispo Edir Macedo, em uma reunião intermediada pelo ex-deputado e ex-bispo Carlos Rodrigues.

Após um tempo de conversa, Edir demonstrou-se aborrecido com a postura de FHC, a quem a Igreja Universal apoiara em sua primeira campanha presidencial, em 1994. Dizia-se decepcionado com a falta de diálogo do governo nos anos seguintes à eleição. Arruda estranhou a reação do bispo e, prontamente, pôs-se a negociar uma reaproximação imediata com o presidente. Na frente de Edir, telefonou para FHC. Não adiantou. O bispo decidiu não atender à ligação. Mas afirma que hoje já não guarda ressentimentos dos tucanos.

Recentemente, esteve duas vezes com o presidente Lula. A primeira, antes da reeleição, aconteceu no dia exato da queda do ex-ministro-chefe da Casa Civil José Dirceu, no meio do turbilhão de escândalos que envolveram o alto escalão do governo federal.

– Lula estava para baixo, meio caído – observou.

Edir Macedo conta que orou pelo presidente. Simpático, Lula aceitou a prece.

– Dei apoio moral. Ofereci minha solidariedade.

O segundo encontro foi mais demorado, também em Brasília, no Palácio do Planalto. Edir Macedo tomou a palavra.

– Presidente, antes de começar nossa conversa, gostaria de esclarecer o motivo que levou nosso jornal (*o evangélico Folha Universal*) a afirmar que o senhor era o diabo. Nós tínhamos um conceito errado. O Cristovam me ajudou a mudar de opinião.

Edir referia-se a um almoço que havia tido com o senador Cristovam Buarque, quando ainda era do PT, o Partido dos Trabalhadores, de Brasília. Buarque levou horas conversando com o bispo sobre as políticas sociais e as teorias econômicas do governo Lula.

– Vi sua outra face, presidente. Assumimos uma postura diferente.

– Tudo bem, bispo. É comum a gente mudar de opinião – respondeu Lula, iniciando um demorado discurso sobre seus feitos na Presidência.

– Bispo, eu mascava chiclete dos outros, e agora todos me pedem favor.

– Eles não aceitam, presidente. Eu também sou assim. Nós viemos de baixo.

Antes de acabar a conversa, Edir Macedo novamente rezou por Lula.

Nas semanas seguintes à visita do papa Bento XVI ao Brasil, perguntamos como Edir analisa a atual relação do presidente com a Igreja Católica.

– Sob certo aspecto eu admiro o Lula e vejo claramente que ele é maior que o PT. Ele teve peito de bater de frente com a Igreja Católica no episódio da política de controle da natalidade. Fiquei até surpreso. Aliás, ele não beijou a mão do papa e sustentou a postura adequada para um Estado laico.

Edir já ouviu da maioria das personalidades políticas do país admiração pela capacidade de votos da Igreja Universal. Em 1999, em visita à Bahia, reuniu-se com o senador Antônio Carlos Magalhães, falecido em julho de 2007, no seu escritório na capital Salvador.

– Nem minha empregada, que é da sua igreja, vota em mim – disse ACM ao bispo.

Edir, porém, credita as duas últimas derrotas do senador Marcelo Crivella, candidato à prefeitura e ao governo do Rio de Janeiro, à falta de recursos financeiros das campanhas e ao reduzido espaço na propaganda eleitoral na televisão.

– Foi uma campanha pobre. Era impossível ao Crivella passar suas idéias em vinte, trinta segundos – avalia Edir. – Quem ama a Deus ama ao próximo. Nós temos integridade. Temos condições de melhorar o Rio de Janeiro com uma política honesta, limpa. Esse é nosso único objetivo. A igreja não precisa do cargo nem o Marcelo Crivella do emprego.

Edir Macedo também entende que os escândalos políticos do ex-bispo da Igreja Universal e ex-deputado federal Carlos Rodrigues podem ter influenciado a perda de votos. O afastamento de Rodrigues de seu quadro de pregadores, aliás, foi um dos momentos mais difíceis para Edir nos últimos tempos.

O ex-deputado federal, que renunciou em setembro de 2005, após denúncias de envolvimento com o esquema do mensalão, iniciou na Universal ainda nos tempos do coreto do Méier. E era um dos pastores mais queridos de Edir Macedo.

– Não havia o que fazer. É o que já expliquei sobre a disciplina da Igreja Universal. As leis devem valer para todos, seja quem for, não importa o título que ocupar. Foi uma decisão conjunta do conselho de bispos – afirma, tocando no assunto pela primeira vez, desde o estouro das acusações. – Não abrimos mão da decência moral. Em hipótese alguma.

Meses depois, Edir Macedo determinou o afastamento de outros dez deputados membros da Igreja Universal, também por suspeita de favorecimento no esquema do mensalão. Em 2006, a CPI que investigava o caso arquivou o processo contra todos por falta de provas. Ainda assim, nenhum recebeu apoio da Igreja Universal para concorrer às eleições daquele ano.

Queremos saber se o bispo Macedo tem algum projeto político.

– Nunca tive. Minha missão é espiritual. Veja o Garotinho (*Anthony Garotinho, ex-governador do Rio de Janeiro*). Eu disse a ele que bobeou, se precipitou. Ele teve medo de que eu saísse na frente e correu para virar candidato à Presidência dos evangélicos. Uma bobagem. O meu espaço é espiritual.

Queremos entender por que, então, a Universal tem se esforçado para eleger representantes no Legislativo, como o senador Marcelo Crivella.

– Os políticos são para defender a causa do Evangelho. Para fazer frente a todos os movimentos de perseguição que enfrentamos.

O bispo cita uma série de projetos de lei que, segundo ele, tentam impedir a abertura de novos templos e, de maneira geral, tolher a liberdade de culto.

– Não há projeto pessoal de poder político. Estou com 62 anos. Quero viver o resto dos meus dias em paz. Não vou trocar o altar por poder político nenhum. Nem pensar.

Edir Macedo assegura: apesar das especulações, nunca pensou em candidatar-se à Presidência da República.

– Mas, se eu fosse presidente, este país seria outro. Meu primeiro ato seria proibir o gasto de um centavo sem a minha autorização. Você iria ver este país mudar. Os corruptos iriam passar fome.

MENTE CONTROVERSA

É possível contar nos dedos as entrevistas que o bispo Edir Macedo concedeu à imprensa nos últimos trinta anos, data de fundação da Igreja Universal do Reino de Deus. Foram raros os momentos em que decidiu falar com jornalistas. Os próprios advogados o orientam ao isolamento, devido, sobretudo, a sua vocação para dar depoimentos polêmicos, que resultam quase sempre em processos judiciais.

– Eu não tenho travas na língua. Falo o que penso – diz ele.

Fizemos a Edir Macedo perguntas sobre valores morais, questões teológicas e assuntos em geral que provocam discussões acaloradas na sociedade. São opiniões colhidas ao longo dos catorze meses desta reportagem biográfica, em situações e lugares distintos. Como no capítulo "Dinheiro na igreja", reunimos aqui as respostas na íntegra, com o mesmo objetivo: expor o pensamento do líder da Universal sem a simplificação de ser contra ou a favor.

Uma radiografia da mente do bispo.

ABORTO

Sou a favor do direito de escolha da mulher. Em casos como estupro, má-formação do feto ou quando a vida da mãe está comprovadamente ameaçada pela gestação, não há o que discutir. Sou a favor do aborto, sim. A Bíblia também é. Eu vou ler para você *(Edir se levanta, busca o livro e senta ao nosso lado)*. Olha só: *"Se alguém gerar cem filhos e viver muitos anos, até avançada idade, e se a sua alma não se fartar do bem, e além disso não tiver sepultura, digo que um aborto é mais feliz do que ele".* Fica em Eclesiastes, capítulo 6, versículo 3. O Brasil deveria se unir pelo direito da mulher de optar pelo aborto. Nossos governantes deveriam se empenhar para isso e não se curvar diante da pressão de alguns segmentos religiosos. Certamente, grande parte de nossas mazelas sociais diminuiria. Pense comigo: é melhor a mulher não ter filho ou ter e jogar o bebê na lata do lixo? O número de meninas solteiras de 12, 13 anos dando à luz não pára de crescer. Crianças que deveriam estar na escola, mas estão em casa cuidando dos filhos. Não é necessário teorizar muito. Qual será o futuro dessas crianças? Qual a estrutura que um garoto de 14, 15 tem para ser pai? O que uma garota que mal entrou na adolescência tem para ser mãe? A maioria delas é pobre, cujos filhos crescem em um ambiente cercado de violência e miséria. Que esperança existe para essas crianças que, cedo ou tarde, sempre acabam aliciadas pelo crime? Vamos ser frios e racionais: é preferível a criança não vir ao mundo ou vê-la nos lixões catando comida para sobreviver? Eu creio na Bíblia. Nesses casos, eu acredito que o aborto é melhor do que nascer. A mulher precisa ter o direito de escolher.

HOMOSSEXUALISMO

Eu acredito na Bíblia, e ela é contra a prática do homossexualismo. Sou contrário à relação homossexual e não aos homossexuais. Respeito o ser humano. Eu prego a palavra de Deus, mas é cada um que decide o caminho a seguir. Eu respeito o direito de escolha, mesmo se a pessoa desejar relacionar-se com um ou vários parceiros do mesmo sexo. É isso que eu ensino para os pastores. Deus nos deu o livre-arbítrio. Ele deixou a estrada do bem e a estrada do mal. Cada um deve decidir por si próprio. Quem segue a estrada do bem não pode criticar o que segue a estrada do mal, e vice-versa. Não sou ninguém para criticar os *gays*. Ao apontar um dedo para alguém, tenho quatro apontados para mim.

LEGALIZAÇÃO DAS DROGAS

Não sou favorável à descriminalização. Essa mudança da lei não funcionou em alguns países da Europa, como a Holanda, por exemplo. A droga legalizada não diminuiu os índices de criminalidade e o consumo de entorpecentes. Não tem jeito. A única solução é o Evangelho. É o único caminho para salvar a sociedade das drogas.

MÉTODOS ANTICONCEPCIONAIS

Sou a favor da camisinha, da vasectomia, da laqueadura, das pílulas e de todos os métodos existentes, ou que ainda vão existir, para o controle de natalidade. Aliás, não sou favorável ao uso de camisinha, mas de duas camisinhas, caso o preservativo falhe. O que mais me revolta é saber que existem grupos religiosos conservadores que ainda pregam o contrário. E os jovens que morrem de Aids todos os dias? E as doenças sexualmente transmissíveis? E o aumento de mães solteiras? Quem se responsabiliza por tudo isso? O governo? A Igreja Católica? Quem?

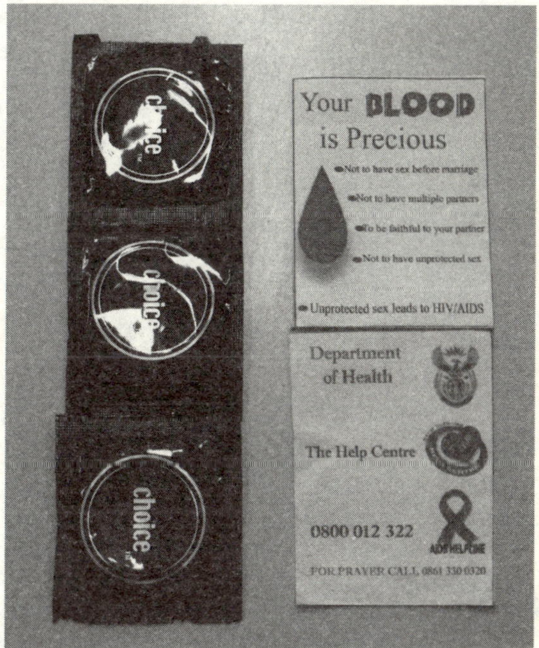

'SANGUE PRECIOSO'
Preservativos distribuídos nas igrejas da África

TABACO

Eu sou radicalmente contra o cigarro. Fumei algumas vezes na vida, mas nunca de forma séria. Era para tirar onda quando jovem. Meu pai fumava e minha avó morreu tragando cigarro de palha. Combatemos o vício na Igreja Universal. Além de prejudicar a saúde, como provocar câncer e outras doenças terríveis, não é condizente com a fé cristã. Se Deus tivesse feito o corpo humano para fumar, então nossas narinas seriam para cima.

LEIS

A legislação de qualquer país em que desenvolvo meu trabalho deve ser seguida com rigor. É premissa da igreja. Mas as leis devem valer igualmente para todos e não apenas para alguns, como geralmente acontece no Brasil. Nos Estados Unidos, por exemplo, sempre tivemos uma conduta irrepreensível. E por quê? Porque as regras funcionam para todos. Eu gosto de leis. Nos Estados Unidos, onde moro há dezessete anos e onde as normas de trânsito são bem severas, nunca recebi uma multa, nunca perdi um ponto sequer na minha carteira de habilitação. Vivo melhor num lugar em que as leis funcionam para valer.

SUBMISSÃO FEMININA

Prevalece em nosso universo, sim. Mas não se trata de uma submissão imposta, é algo natural. O homem não é nada sem a mulher, e a mulher não é nada sem o homem. A mulher não deve se submeter à vontade do homem. O homem é que deve colocar-se como líder numa relação conjugal. Esse entendimento nasce à luz da Bíblia. O homem é a cabeça, e a mulher o corpo. Imagine um corpo sem cabeça ou vice-versa. Impossível existir relacionamento. Na direção da Igreja Universal, conhecemos exemplos desse tipo. Quando a mulher manda no marido, o pastor não cresce. Ela domina e não dá certo. No meu caso, quem manda dentro de casa é a Ester. Na igreja, sou eu. Um não pode ultrapassar o limite do outro. Em casa, eu só mando no meu escritório, e até lá ela mexe de vez em quando.

MACHISMO

Não somos machistas na Igreja Universal. Temos pastoras. A mulher é tão importante quanto o homem. Faço questão de promover o casamento para os dois se tornarem uma família só. É óbvio: se não existe família, não existe igreja. O mais bonito na mulher é sua simplicidade, a elegância de sua discrição.

CARNAVAL

É a festa da carne. A época em que há mais mortes, brigas, tragédias, desgraças em geral. Muitos lares são destruídos com a promiscuidade. Eu gostava do carnaval, mas, depois de minha conversão, mudei de pensamento. Nunca mais participei desse tipo de festa e não sinto falta. Minha alegria não dura os três dias de folia, mas os 365 dias do ano. Eu detesto, mas respeito os que gostam. Do ponto de vista social, é um bem para o Brasil. Movimenta o turismo. Aliás, a Igreja Universal é uma grande alavanca para o turismo brasileiro. Membros do mundo inteiro visitam o Rio de Janeiro e São Paulo para conhecer as catedrais, os primórdios da igreja e, principalmente, ver de perto nossa fé. Agora, com a inauguração do nosso museu no Rio (*Edir criou o Museu da Igreja Universal na sede mundial, no bairro de Del Castilho, com toda a história da instituição contada em imagens expostas em painéis, vídeos e documentos*), a tendência é esse fluxo aumentar. Os africanos e os europeus, por exemplo, sonham mais em visitar nosso país do que Jerusalém, em Israel.

IDEOLOGIA POLÍTICA

Não sou de direita nem de esquerda. Sou "do equilíbrio". Há incongruências e linhas de raciocínio coerentes nos dois tipos de pensamento político. Deus fez o homem com duas pernas para se equilibrar. Sem prudência, há radicalismos.

UNÇÃO SOBRENATURAL?

Sou ungido pelo Espírito Santo (*os neopentecostais acreditam que o Espírito Santo é um dom da Graça de Deus, explica o especialista em religião Ênio da Costa Brito, da Pontifícia Universidade Católica de São Paulo*) para pregar o Evangelho. A certeza que tenho está no resultado do meu ministério. Jesus disse: "Pelos frutos conhecereis a árvore". Eu sou pastor, sou homem de Deus. Assumo e vivo o que eu prego porque creio no que está escrito na palavra de Deus. Tenho certeza dessa unção por minhas experiências pessoais com esse Deus invisível, imutável e todo-poderoso.

UM LÍDER ESPIRITUAL DA ATUALIDADE

Eu não conheço ninguém. Não sou o maior. Sinto-me o menor deles. Um zero à esquerda. Sou um nada, humano, mortal, não sou santo. Não existe líder religioso infalível. É papo-furado. Todos morrem do mesmo jeito que você e eu. O homem veio do nada e para o nada volta na hora do cemitério. Cada um de nós chegou ao mundo de mãos vazias e parte sempre de mãos vazias. Vamos para o mesmo buraco.

UM TRECHO DA BÍBLIA

Existe um para mim. Quando estou para baixo, enfrentando muitos problemas, recorro a este capítulo: *"Ninguém te poderá resistir todos os dias da tua vida; como fui com Moisés, assim serei contigo; não te deixarei, nem te desampararei. Sê forte e corajoso, porque tu farás a este povo herdar a terra que, sob juramento, prometi dar a seus pais. Tão-somente sê forte e mui corajoso para teres o cuidado de fazer segundo a lei que meu servo Moisés te ordenou; dela não te desvies, nem para a direita nem para a esquerda, para que sejas bem-sucedido por onde quer que andares. Não cesses de falar deste livro da lei; antes, medita nele dia e noite, para que tenhas o cuidado de fazer segundo tudo quanto nele está escrito; então, farás prosperar o teu caminho e serás bem-sucedido. Não te mandei eu? Sê forte e corajoso; não temas, nem te espantes, porque o Senhor, teu Deus, é contigo por onde quer que andares".* É o livro de Josué, capítulo 1, dos versículos 5 a 9. Não há lutas que eu não consiga superar com essa mensagem dentro de mim.

MOVIMENTO EVANGÉLICO NO BRASIL

Eu vejo grandes deficiências em muitas denominações. A maior delas é a exploração da fé emotiva. Abusa-se o tempo todo da emoção em detrimento da fé inteligente. Muitos evangélicos, inclusive dentro da Igreja Universal, vivem de sentimentos emotivos. Essa é a razão de tudo. Como posso amar alguém que não conheço? Primeiro eu preciso conhecer Deus para depois amá-lo. Mas para conhecer Deus é necessário fé. Esse é um dos focos do trabalho da Igreja Universal. Não é justo crer em um Deus desconhecido. Ele precisa se manifestar, se apresentar, corresponder a nossa fé. É assim que ajo. Eu não acompanho o trabalho de outras denominações. Não sei nem quero saber. Às vezes, fico sabendo que alguém falou mal de mim. Nem ligo, não me incomodo. Não é que eu seja o perfeito e os outros errados. Não, absolutamente. Eu cuido do meu rebanho, do meu nariz, de olhar para a frente. Eu não olho para o lado.

PAPA BENTO XVI

Exclusivamente um político. Mais nada. O que ele e o restante do clero fazem o tempo todo é apenas ditar regras, impor normas, em sua maioria contrárias à Bíblia. É só checar. São regras e mais regras, uma atrás da outra. Não pode fazer sexo, não pode usar camisinha, não pode planejar a família, a mulher não pode ter o direito de abortar, o segundo casamento é uma praga, sexo é somente para procriação, a Igreja Católica é a única verdadeira igreja de Cristo, os evangélicos são uma seita e por aí vai. Como ter uma opinião diferente?

EDUCAÇÃO DOS FILHOS

A melhor educação é dar exemplo. E agir como Deus: ao chegar a uma fase de mais idade, quando os problemas de comportamento começam a surgir, deixar os filhos absolutamente livres. Deixá-los escolher o que quiserem, o caminho que desejarem seguir. Os pais têm a obrigação de ensinar, mas não podem obrigar os filhos a seguir a trilha do bem. Quando estiverem diante de grandes dificuldades e quiserem ajuda, aí sim é possível ajudar. Os pais não podem impor a vontade deles aos filhos. Quanto mais o pai ou a mãe tenta impor sua vontade, pior fica. Na Igreja Universal ensinamos que os filhos precisam ver na atitude dos pais o Deus em que nós cremos.

PATERNIDADE

Ter filhos hoje em dia é um risco, significa viver em uma selva. Se eu casasse hoje, jamais teria filhos. Inclusive aconselho os membros e os pastores a não terem filhos. O mundo está cada vez mais violento, dentro e fora de casa, os valores estão invertidos, são poucas as chances de a criança ter um futuro bom. Nos países desenvolvidos, na Europa e nos Estados Unidos, são cada vez mais fortes os movimentos contrários à natalidade. Muitos podem até pensar que isso é egoísmo. Mas não vejo dessa forma. É inteligência, questão de sobrevivência.

LIBERALIDADE SEXUAL

Sou a favor do sexo no casamento. Somos contrários ao sexo anal, mas do resto tudo é permitido entre quatro paredes. Para o cristão, tudo é perfeitamente justo, desde que não agrida sua consciência. Eu preciso separar o que é bom do que é ruim. Quem julga isso é cada indivíduo. Não é o pastor, a igreja, ninguém. Apenas a pessoa. Não apoiamos o sexo antes do casamento, seguindo os ensinamentos da Bíblia. Na relação conjugal, o ato íntimo é sagrado. Para se ter idéia, quando um casal da igreja decide fazer abstinência de sexo por motivos espirituais, o marido ou a mulher é obrigado a receber o consentimento do parceiro. Do contrário, o jejum não é correto.

DIVÓRCIO

Eu luto pela família. Sem a união de um lar não há felicidade completa. Orientamos os maridos e as esposas a batalharem por seus casamentos, a não aceitar o divórcio como única saída para uma relação problemática. A Bíblia diz: "O que Deus juntou não o separe o homem". O divórcio é indicado, na maioria das vezes, como recurso extremo para o problema criado por um ato de infidelidade de um dos parceiros.

A VERACIDADE DA BÍBLIA

A Bíblia significa a palavra de Deus, os pensamentos de Deus. Quem lê a Bíblia absorve os pensamentos de Deus. Quem lê Paulo Coelho absorve o espírito de Paulo Coelho. Provar que a Bíblia é verdadeira é o mesmo que tentar provar a existência de Deus. A Bíblia foi escrita por quarenta autores em 1.500 anos. Mesmo sendo escrita durante um período tão longo, por tantos homens diferentes e em épocas distintas, ainda assim conserva uma unidade de pensamento. Isso significa dizer que, ainda que os quarenta escritores não tenham se conhecido, suas idéias se completam e se confirmam entre si. Nenhum deles escreveu algo que pudesse contradizer o escrito do outro. A Bíblia é um livro que se caracteriza pela unidade e coerência. É a expressão exata da vontade de Deus. Na minha visão, ela é perfeita. A maior prova é o resultado

TEOLOGIA
Métodos doutrinários com raízes no protestantismo

prático das promessas dela em minha vida e na vida dos que acreditam. Por isso, a Igreja Universal é a maior distribuidora de Bíblias do Brasil e, talvez, do mundo. Distribuímos milhões de exemplares mensalmente porque acreditamos que é um livro, quando colocado em prática, capaz de mudar a vida do ser humano.

TOLERÂNCIA RELIGIOSA

Eu respeito as pessoas. Devemos respeitar cada ser humano, independentemente daquilo em que ele acredite. Eu respeito o homem, mas abomino a instituição, principalmente as que têm tentado atrapalhar o desenvolvimento da igreja. Eu rasgo o verbo ao dar minha opinião sobre a instituição Igreja Católica, mas tenho obrigação de respeitar os católicos. Todos, sem exceção. É como a Globo. Eu não conheço a família Marinho, não sei se são más pessoas. Mas a instituição Rede Globo faz um mal tremendo ao Brasil. Não obrigo ninguém a seguir coisa alguma. Nem meus filhos. Eu ensino o caminho do bem. Se a pessoa desejar ir em frente, tudo bem. Do contrário, será respeitada por mim da mesma maneira.

ESPIRITISMO

Eu não acredito. Freqüentei um centro espírita três vezes por semana quando era adolescente no Rio de Janeiro. Passei por inúmeras consultas com um médico espírita chamado Santos Neto, que mais tarde virou deputado federal. Ele fazia cirurgias espirituais para os mais variados tipos de doença. Na época, eu tinha verrugas espalhadas por todo o corpo. Eram uns caroços enormes, que me incomodavam bastante. Quando cheguei diante do tal médico, ele me perguntou qual era minha maior verruga. Depois que mostrei, disse que iria fazer desaparecer tudo em sete dias. Todo vestido de branco, fez o sinal da cruz sobre a verruga e repetiu algumas palavras de reza.

Após uma semana, todas desapareceram de fato. Tempos depois, voltaram maiores e em maior quantidade.

FANATISMO RELIGIOSO

É a fé sem razão. A crença emotiva, que nasce no coração, na base do entusiasmo. Fanáticos não são apenas os que se matam e matam outros com uma bomba amarrada no corpo. Não são somente os que lançam aviões contra prédios. Também são aqueles que nutrem uma fé fundamentada na emoção. Por exemplo: muita gente fica com o coração mole no Natal, faz caridades, perdoa e é perdoado, mas, no dia seguinte, volta a levar uma vida de maldades. No fundo, é um caso de fanatismo inconsciente. As religiões em geral estimulam essa fé emotiva em que a pessoa não pensa, não pára para perguntar: por quê? Por que eu sigo essa religião? Por que eu acredito nesse Deus? Eu me pergunto. Por que eu sigo Jesus? Por que a Bíblia é meu instrumento de vida? Por que a Bíblia é minha bússola na vida? Logo vem a resposta: porque ela funciona, ela produz resultados, não é uma palavra vazia. Ela me ensina a plantar o que é bom para colher frutos bons e a não plantar o que é mau para não colher frutos ruins. Chova ou faça sol, passe o tempo que passar, um dia acontece.

PENA DE MORTE

Sou contra. A justiça brasileira erra, e muito. E, por outro lado, sempre acho que devemos dar novas oportunidades ao ser humano. O trabalho de ressocialização da Igreja Universal nos presídios e nos reformatórios nas grandes cidades do país mostra que muitos são recuperáveis. É claro que, na situação atual, as condições de nosso sistema penitenciário apenas dificultam a reintegração dos detentos. Para os que não se recuperam, apóio a prisão perpétua.

O COMANDANTE

IMPÉRIO DE COMUNICAÇÃO

O elevador pára a 7 metros dos fundos do altar. Esgotado, Edir Macedo tira rapidamente o microfone sem fio e chama a mulher Ester para subir. Antes, deixa-se pousar ao lado de obreiros e pastores para algumas fotos. O evento é de inauguração. Uma catedral luxuosa com 5 mil poltronas na capital do Espírito Santo. Mais de 10 mil assistiram à estréia. Já passa de meio-dia.

– Eu me realizo em cima do altar. Nada tem mais valor – diz o bispo, enquanto escolhe o prato, entre as variadas opções de peixe.

Enquanto almoçamos, Edir e o pastor local acompanham na tevê programas da Universal em duas emissoras de Vitória simultaneamente: as afiliadas da Record e da Rede TV!. A igreja é hoje a maior cliente religiosa das emissoras de televisão no Brasil. Os números não são exatos, mas calcula-se que gere mais de 240 horas diárias de programação, de norte a sul do país. Sem contar as produções no exterior. Cada templo fora do país praticamente nasce com uma produtora de vídeo. Seis meses, um ano e lá está o pastor na tevê local em um horário comprado pela Universal.

Como já relatado, a estratégia é antiga, nasceu com o bispo Macedo na antiga TV Tupi nos anos 1970: divulgar suas idéias por meio de veículos de comunicação de massa. De lá para os dias atuais, a evolução é notória. Hoje, Edir Macedo tem a seu serviço um império de comunicação – o que, segundo estudiosos da área, é uma das razões para seu avanço.

– As igrejas evangélicas, de modo geral, têm uma clara percepção do papel da comunicação, sobretudo a eletrônica, na formação das mentalidades e na mobilização social, razão pela qual investem maciçamente nesse segmento. Mas a visão do bispo transcende o "televangelismo", porque seus veículos destinam-se a todos os públicos e almejam muito mais que a conquista ou a conversão de fiéis. Desejam a liderança em seus mercados, a influência política, a solidez comercial, a prestação de múltiplos serviços, como cabe aos grandes grupos de mídia – avalia o jornalista Gabriel Priolli, um dos maiores especialistas em televisão no Brasil.

Além da Record, o bispo se utiliza de outras emissoras de televisão: a Rede Família, veículo que exibe parcialmente a programação da igreja desde 2001 para mais de cinqüenta cidades do interior de São Paulo, além de outras localidades por meio de distribuidoras a cabo e antenas parabólicas; a Rede TV!, também em território nacional; a TV Gazeta; a Bandeirantes; a CNT; e outros canais para transmissão regional. Em setembro de 2007, a Rede Mulher, transmitida via UHF para todo o país, foi transformada no canal de notícias Record News.

Edir também tem força na imprensa escrita. Em Porto Alegre, o tradicional *Correio do Povo*, adquirido no mesmo período da TV Guaíba, agora Record Rio Grande do Sul, é um dos jornais mais prestigiados do estado.

A organização também abriga uma rede de veículos voltada para a divulgação de sua programação religiosa e as mensagens de Edir Macedo. Emissoras de rádio, portais de internet, jornais impressos, revistas e editoras de livros. A lista é grande. O jornal *Folha Universal*, semanal criado em 1992, com tiragem de 2,3 milhões de exemplares – o maior veículo impresso do país em unidades por edição. Uma revista chamada *Plenitude*, com tiragem mensal de 250 mil exemplares.

Ainda no segmento editorial, a Universal Produções é dona de um dos parques gráficos mais modernos do Brasil. Tem capacidade para rodar milhões de exemplares em poucas horas. Em seu catálogo estão os livros evangélicos mais vendidos do país. No total, mais de 10 milhões de unidades dos 34 livros escritos por Edir Macedo já foram vendidos em território nacional. A lista dos *best-sellers* inclui títulos como *O poder sobrenatural da fé*, *O perfil do homem de Deus*, *O perfil da mulher de Deus*, *Nos passos de Jesus*, além do polêmico *Orixás, caboclos e guias: deuses ou demônios*?

DISCIPLINA
O bispo no estúdio: todo dia ele grava programa de rádio

No rádio, o império do bispo começou com a compra da Rádio Copacabana, do Rio, em 1984. Hoje, a igreja detém espaço em uma rede chamada Aleluia, que conta atualmente com 62 emissoras, cobrindo 75% do território nacional. A programação é basicamente de música *gospel* e transmite fielmente, duas vezes ao dia, as mensagens de Edir Macedo.

– Esse é meu prazer maior – afirma o bispo, ao sentar no estúdio para gravar seu programa.

A atração existe há trinta anos, desde a fundação da igreja. Sempre com o mesmo perfil: uma mensagem, uma música cristã e uma prece curta. As trilhas de abertura, *La Vie en Rose* e *Born Free*, são sempre as mesmas. Mesmo fora do Brasil, Edir envia seu programa com o auxílio de um gravador digital de última geração.

EMPRESÁRIO
Record é parte do grupo de comunicação, um dos maiores do país

A igreja descobriu um aliado moderno nos últimos anos. Um portal na internet, batizado de Arca Universal, ajuda a disseminação de seus pensamentos. Um serviço de *podcast*, arquivos de áudio transmitidos pela internet, permite aos fiéis baixarem as palavras de Edir. Um sistema via SMS envia, diariamente, mensagens para os celulares dos fiéis. Entre outros *links*, traz a lista completa de endereços de templos no mundo inteiro.

Na Europa, na África e em outros continentes, a Universal está nas madrugadas da Record Internacional, bem como em espaços comprados em outras emissoras comerciais. Em Portugal, maior sede internacional da Record, a emissora funciona em um prédio de mais de mil metros quadrados, onde são centralizados trabalhos de produção, edição, redação, comercial e *marketing*. A base em Lisboa exibe os programas em todos os países europeus via cabo. Foi lá que, em abril de 2006, a Record se associou à operadora TV Cabo, a principal do país, com mais de 5 milhões de assinantes, substituindo o canal GNT, que pertence ao Grupo Globo. A mudança repercutiu até no Brasil.

– Nossa audiência hoje é muito maior. Já produzimos dez programas apenas em Portugal. Em breve, vamos exibir nossa primeira produção em teledramaturgia – revela Aroldo Martins, presidente da Record Europa, membro dos tempos da Abolição, no Rio de Janeiro.

Em Moçambique, na África, a Record Europa controla parte expressiva da TV Miramar, a maior emissora local. Com sinal aberto que cobre todo o território moçambicano, a Miramar leva a programação da Record, além de exibir as atrações da Universal durante a madrugada.

– A televisão chega a lugares que o evangelismo corpo-a-corpo não consegue alcançar – conta Clodomir Santos, que atende pela igreja em São Paulo e apresenta o conhecido e polêmico *Fala Que Eu Te Escuto*, programa de maior audiência da Universal nas madrugadas da Record no Brasil.

Três décadas depois do aluguel de quinze minutos de uma rádio no Rio de Janeiro, a influência atual do bispo Macedo no mercado de comunicação provoca pasmo. Tão impressionante quanto a voracidade do projeto de expansão da igreja.

IMPÉRIO RELIGIOSO

A Igreja Universal é hoje uma força que se retroalimenta. Quanto mais cresce, menos pára de crescer. Os números aumentam a cada instante. Não é exagero. Fomos obrigados a atualizar diversas vezes o tamanho da estrutura comandada pelo bispo Macedo. Até o fechamento deste livro, eram 4.748 templos e 9.660 pastores apenas no Brasil. A igreja já tinha se instalado em 172 países de quatro continentes. No momento em que este texto estiver sendo lido, esses dados certamente já estarão desatualizados.

A quantidade exata de fiéis é imprecisa. A estatística oficial do IBGE calcula 2 milhões, mas, de acordo com a liderança da igreja, não computa com precisão os brasileiros moradores de áreas carentes, como favelas e morros, onde se concentra uma das forças da Universal – o que pode fazer esse número saltar para até 8 milhões.

Segundo especialistas na área, porém, há uma mudança em vista.

– Os adeptos da Universal não se restringem mais somente aos estratos pobres da população; encontram-se também nas classes médias, incluindo atletas, artistas, empresários e profissionais liberais. Ao lado e por meio disso, o pentecostalismo vem conquistando crescente visibilidade pública e reconhecimento social, aprofundando raízes nas mais diversas áreas da sociedade brasileira – afirma Ricardo Mariano, doutor em sociologia da Pontifícia Universidade Católica do Rio Grande do Sul, em artigo publicado, em setembro de 2004, pelo Instituto de Estudos Avançados da Universidade de São Paulo.

Ao longo da realização desta reportagem biográfica, encontramos casualmente três seguidores da Universal, no Brasil e no exterior, que ajudam a explicar essa tese. A desembargadora Sulimar Monassa, da Justiça do Trabalho, em Belém do Pará, há oito anos na igreja, conta que decidiu entrar para a Universal principalmente por admirar a disposição dos pregadores.

– Em várias denominações, os pastores se dedicam a outras atividades além do altar. Na Igreja Universal não. Fiquei surpresa com a abnegação do bispo Macedo e dos demais pastores. Eles ficam 24 horas no templo. Além disso, eu me identifiquei com as doutrinas – diz a desembargadora, que, na época de sua conversão, era candidata a vice-governadora do Amapá.

No Rio de Janeiro, o juiz aposentado Jairo Santana conta que a Universal influenciou seu modo de viver, ensinando-o a seguir disciplinas espirituais e a traçar objetivos de vida.

– Agora sei o que quero. O bispo me ajudou a compreender a fé bíblica com o uso da minha inteligência.

Em Londres, a embaixadora do Congo no Reino Unido, Eugenie Compton, tornou-se fiel da Universal há cinco anos, depois de chegar à Inglaterra como refugiada de guerra, sem dinheiro e com depressão. Um dia, recebeu um exemplar do jornal *City News*, da igreja na Inglaterra, interessou-se e foi à Universal, segundo ela, buscar "orientação espiritual".

– Ninguém acreditava que eu conseguiria me tornar embaixadora. Muitos me aconselharam a esquecer, pois havia candidatos mais bem qualificados do que eu. Foi aí que minha fé entrou em ação. Na Igreja Universal, aprendi a pensar grande – afirma Eugenie Compton.

– No plano teológico, o bispo Macedo é difusor da crença de que o cristão deve ser próspero, saudável, feliz e vitorioso em seus empreendimentos terrenos – analisa o sociólogo Ricardo Mariano.

Um grande volume de negócios também gira em torno da igreja no Brasil. Construtoras, seguradoras, empresa de táxi aéreo, agências de turismo, mídia, consultorias. As empresas que orbitam em torno da Universal geram 22 mil empregos diretos e mais de 60 mil indiretos só no Brasil. O balanço não inclui pastores e bispos, que recebem a chamada "ajuda de custo" por obra voluntária. A igreja responde mensalmente por 8.806 imóveis alugados, entre residências para pregadores e prédios usados para templos – o que a transforma em uma das maiores locatárias do país.

O mapa da expansão não tem contornos. Ultrapassou as fronteiras do Brasil ainda nos anos 1980: Américas, Europa, Ásia e África. A presença da igreja é maior que a de muitas multinacionais de porte – a Philips Morris, dona da marca de cigarros Marlboro, por exemplo, está em 160 países e o Mc Donald´s, famosa rede de fast food, em 118. A Universal já chegou a 172 países. A cada quinze dias, um pastor se transfere para fora do país. Prega-se em inglês, espanhol, francês, russo, japonês, africâner, zulu, entre outros idiomas, sem contar os dialetos. A maioria dos religiosos viaja sem conhecer a língua estrangeira.

– Desses pastores, 99% são brasileiros. É a maior obra de exportação do nosso país – diz Edir.

Estivemos em vários desses templos nos últimos meses. E presenciamos de perto a capacidade de pregação dos brasileiros.

– Um dia, o branco jogou vocês no chão. Hoje, o branco levanta. Palmas, Soweto! – exclamava Ubirajara Fonseca, baiano criado no Rio de Janeiro, antes de ser aclamado por 14 mil sul-africanos. Mas a inauguração da maior sede da Universal na África é um evento para daqui a algumas páginas.

– O processo pelo qual a Igreja Universal tem se expandido por várias dezenas de países é um capítulo importante de uma das principais transformações religiosas do final do século 20: a transformação do pentecostalismo em religião global e a mudança do centro, não só numérico mas também do impulso expansionista internacional, para regiões distantes dos centros históricos do protestantismo – afirma o especialista em religião Paul Freston em seu livro *Dynamiques Religieuses en Lusophonie Contemporaine*. – Ao mesmo tempo que a Universal é sintonizada com registros globais, é uma das religiões mais brasileiras. É uma tentativa de reforma protestante latino-americana, ou seja, de elaborar um protestantismo parecido com as tradições religiosas do continente.

Depois dos Estados Unidos, os países de língua espanhola foram os primeiros a ser alcançados por Edir Macedo. Começou em 1989 com um pequeno templo na província de Córdoba, na Argentina, e espalhou-se pela América Latina.

PANELAÇO
– Vamos bater a panela até Deus ouvir os pedidos do povo – diz em Buenos Aires

Mergulhar em detalhes no espaço que a Igreja Universal ocupa atualmente nessa região do planeta impressiona.

– *La comunión con Dios es lo que le brinda al ser humano la tranquilidad que le permitirá, en el momento oportuno, tomar las decisiones correctas* (em português, "a comunhão com Deus proporciona ao homem tranqüilidade que, no momento certo, o fará tomar as decisões corretas").

O discurso vem de dentro de um imponente prédio na tradicional avenida Corrientes, no bairro de Almagro, coração da capital Argentina. A arquitetura do passado e o charme dos sobretudos e cachecóis dos que se protegem do frio reforçam o ar europeu. Mas estamos em um ambiente originalmente verde-amarelo. A placa da fachada não deixa dúvidas. Acima das pilastras, em destaque, contornado em letras douradas, *Jesucristo Es el Señor*. Abaixo, menor, *Iglesia Universal del Reino de Dios*.

Edir Macedo desembarcou em Buenos Aires para supervisionar o trabalho religioso na principal cidade portenha. É o país em que a Igreja Universal tem maior presença na América do Sul, depois do Brasil. Estivemos dias ao lado do bispo por suas andanças na nação vizinha, o que, em um primeiro momento, provoca estranheza e desconfiança nos demais integrantes da ordem eclesiástica.

– Um livro-reportagem... O bispo vai falar, é? Difícil ele abrir sua vida para jornalistas – comentam alguns pastores argentinos, que nos observam com o bloco de anotações.

Buenos Aires tem 3 milhões de habitantes, mas, incluindo a periferia, soma 14 milhões. As províncias no país inteiro reúnem 36 milhões de pessoas. A Universal já chegou a todas elas. A rixa com o Brasil não impede o avanço dos ideários de Edir Macedo.

– Eles nos tratam como vizinhos. São sempre muito educados e atenciosos. Os pastores exercem a vocação à vontade – conta Marcus Vinicius Vieira, o líder superior no país.

A crise econômica de dezembro de 2001, que até hoje espalha reflexos pelas ruas, como lojas fechadas e mendicância, provocou um *boom* de fiéis nos templos. O atendimento religioso às residências e a empresas e estabelecimentos comerciais em geral aumentou a tal ponto que, segundo a direção da igreja, faltaram pastores e auxiliares para atender a demanda.

Os panelaços, protestos, passeatas e manifestações que tornaram conhecido o engajamento político do povo argentino também são fontes de inspiração para Edir Macedo. Um panelaço em praça pública, para milhares de fiéis da Universal, foi agendado para até o final de 2007.

– Vamos bater a panela até Deus ouvir nossos pedidos, até ele ouvir os pedidos do povo – diz ele.

Ainda no prédio da avenida Corrientes, uma reação estridente no primeiro e único culto que o bispo executa em território portenho em menos de uma semana de estada. São 10 da manhã, pontualmente, quando 5 mil pessoas aplaudem, durante minutos, a entrada de Edir Macedo no altar. Todos estão de pé.

– Eu fico com uma vergonha danada. Também me incomodo em ver bastante gente sem conseguir sentar por duas horas seguidas – conta ele, referindo-se à lotação do lugar, que impediu mais de 2 mil fiéis de assistirem ao evento acomodados nas poltronas.

No dia seguinte ao culto, Edir convoca pastores responsáveis pela Universal em parte dos países sul-americanos. É um balanço das atividades da igreja. O bispo fala sobre um tema recorrente: a fé aliada à inteligência. Na mesa do almoço, representantes de Uruguai, Chile, Peru, Bolívia e Paraguai. Os mandantes de cada país contam suas realizações. Edir ouve com satisfação, mas reafirma sempre que não é suficiente. O objetivo principal é crescimento.

– Entendeu? Vocês precisam ensinar as pessoas a pensarem. Somente quando pensam elas são livres. A fé deve ser inteligente e não emotiva. Essa é a mensagem. Por favor, pastores, muita atenção para isso. A religião é que usa a emoção para iludir as pessoas. Nós, não. Nós usamos a fé racional.

Estamos com Edir Macedo e os demais pastores na residência da Igreja Universal em Buenos Aires. No almoço, passa a discutir, despretensiosamente, a situação política da América do Sul. Comenta sobre a onda de populismo que tomou conta das nações latino-americanas. E ouve as avaliações dos religiosos.

– No Chile, a atual presidente preza bastante a democracia. Ela respeita a liberdade religiosa – conta Evandro Rodrigues, pastor em Santiago, onde auxilia no comando das 38 igrejas em todo o território chileno. – A igreja está crescendo bem.

Mas a Argentina é mesmo a base mais forte do bispo Macedo nos países de língua espanhola. Já são cinco catedrais erguidas nos últimos quinze anos, desde a abertura do primeiro grande templo em Mendoza, província próxima à fronteira com o Chile, em novembro de 2002. No total, são mais de 160 templos e trezentos núcleos religiosos, lugares menores em que os pregadores organizam cultos em horários esporádicos. A região da Patagônia sedia uma das unidades mais lotadas. São 2 mil seguidores na gelada província de Neuquén, onde a temperatura média gira em torno de 13ºC negativos. A maior das igrejas é a sede na avenida Corrientes, inaugurada em 2004.

Os brasileiros estão por toda parte. São mais de duzentos pastores espalhados pelos templos da Universal em Buenos Aires e no interior da Argentina. Até o estádio do River Plate, o caloroso Monumental de Nuñez, já ficou pequeno para os megacultos de Edir Macedo. O bispo reuniu 70 mil fiéis em abril de 2006, a última das concentrações que comandou pessoalmente na terra de Eva Perón.

– Os argentinos também chegam à igreja pelo apoio assistencial realizado sistematicamente nas regiões mais carentes – analisa Marcus Vinicius, citando as 50 mil toneladas de alimentos e as 60 mil peças de roupas doadas anualmente às áreas portenhas pobres, como Rafael Castillo e Moreno.

Quem centraliza a ação social é a chamada *La Organización T-Ayudo.*

Na televisão, a Universal já ocupa 66 horas de programação por semana. Aluga espaços em duas das principais emissoras do país, uma em tevê aberta e outra por assinatura. Também utiliza duas rádios: uma AM, a Rádio Buenos Aires, inteiramente voltada à igreja, e outra FM, que toca música popular durante o dia e à noite destina-se à divulgação de conteúdo da Universal. O jornal *El Universal*, com 170 mil exemplares de tiragem, é distribuído gratuitamente, e um portal em espanhol convoca os seguidores para as reuniões.

Deixamos Buenos Aires.

Seguimos o bispo Edir Macedo em sua peregrinação pela América do Sul.

Voamos da capital argentina para Santiago de Guaiaquil, maior cidade do Equador. O país, conhecido pela linha imaginária que dá nome à nação e divide a Terra em dois hemisférios, é nossa próxima parada. São cinco horas de vôo no Falcon, o jato particular. Horas de descanso – e de uma breve meditação.

– Decidi vir para o Equador de última hora. Aliás, minha vida é assim. Desde que a Igreja Universal começou a crescer, não posso dar brechas. Faço tudo de surpresa, não aviso nada a ninguém – comenta Edir. – É questão de estratégia.

O bispo refere-se a sua imprevisível agenda de compromissos internacionais, como relatado no capítulo "Intimidade revelada". Nenhum dos seus destinos é divulgado com antecedência, muitas vezes nem para a alta cúpula da igreja. Hotéis e passagens aéreas, raramente solicitados, são reservados com sigilo e discrição. Comentar os compromissos de Edir é vedado entre pastores e bispos.

O trânsito caótico e a inconfundível expressão dos descendentes de índios sinalizam a chegada a Guaiaquil. A hospedagem será rápida: apenas quatro dias antes do domingo, data da abertura oficial do maior templo da Universal no Equador. Edir Macedo viajou especialmente para a inauguração. A cidade, de 3 milhões de habitantes, o equivalente à cidade de Salvador, na

EL SEÑOR
Culto de abertura da maior igreja do Equador

Bahia, foi a porta de entrada para a pregação religiosa, ainda em 1995, num pequeno cinema no centro da cidade.

Hoje, a igreja conseguiu difundir-se por boa parte do território equatoriano, uma área trinta vezes menor que a do Brasil – 284 mil quilômetros quadrados. São sessenta templos e trinta núcleos. A Universal de Quito, a capital, é a segunda maior do país, com lugar para 900 pessoas. Os pastores brasileiros, mais de duzentos no total, estão diariamente na televisão e no rádio. O programa *Pare de Sufrir* vai ao ar em um dos canais de maior audiência, de meia-noite a uma da manhã. A *Rádio Ecuantena* alterna programação comercial, recheada de músicas de salsa e merengue, com convites para reuniões nos templos equatorianos.

Antes da abertura da catedral de Guaiaquil, novo encontro com pregadores. Dessa vez, com o alto comando da América Central e dos países da América do Sul que não estiveram com Edir em Buenos Aires. São brasileiros chefes da Universal na Costa Rica, Nicarágua, Jamaica, Honduras, Venezuela, Colômbia, Guatemala, República Dominicana, Panamá e El Salvador.

Dias após a convenção, seguimos com o bispo ao culto de inauguração em Guaiaquil.

Conversamos no escritório anexo à igreja minutos antes do evento. O templo, na avenida do principal aeroporto da cidade, chama a atenção. Foi erguido em pouco mais de um ano, quando partiu a decisão do Brasil de executar o projeto. São 7.500 metros de área construída, com duzentas vagas de estacionamento, um estúdio de televisão e dois de rádio. O empreendimento custou 8 milhões de dólares aos cofres da Universal no Equador.

A imprensa local noticiou a nova igreja com estardalhaço. As manchetes traziam uma comparação com a maior Igreja Católica em funcionamento no Equador, em Quito, com capacidade para 2 mil pessoas. Em Guaiaquil, a maior delas, a Catedral Metropolitana, tem 1.500 lugares.

O lugar está tomado. Seis mil guaiaquilenhos se espremem entre poltronas e corredores para ouvir o bispo Macedo.

– *Graças a Dios! Buenos dias!* – surge Edir na porta do altar.

É a primeira vez que o bispo prega no Equador. Ao longo do evento, ele recebe dos fiéis *sombrero* preto e poncho de lã, roupa típica dos índios equatorianos. Edir veste o presente no meio do culto.

Os índios e seus descendentes diretos somam quase 90% da população do país – os outros 10% são brancos e negros. Em alguns cultos da Igreja Universal, prega-se em espanhol com tradução simultânea para o quíchua – a língua preservada até hoje por muitos grupos –, como na região de Otavalo, no norte do país.

De um lado do hemisfério para outro.

Nos últimos trinta anos, a Universal também se fixou em nações ricas. No Canadá, a igreja funciona em um prédio de três andares na cidade de Toronto. Os cultos, para quatrocentas pessoas, realizam-se em inglês, espanhol e português. No Japão, são 1.800 membros em quinze igrejas. Na Espanha, dezesseis templos. Em todo o território dos Estados Unidos, 39 núcleos e 133 igrejas. A maior delas, em Los Angeles, tem 2.300 lugares.

Em Portugal, o crescimento é ininterrupto. Edir Macedo prevê para breve a abertura de uma superigreja em Lisboa para 3.500 pessoas. Também será uma catedral, já em construção, a mil metros do rio Tejo. No Porto, outra catedral para 3 mil fiéis passa a funcionar no final de 2008.

No Reino Unido, a Universal reúne 32 espaços de culto. A sede de Londres está localizada em um antigo e famoso teatro tombado pelo patrimônio histórico local. A igreja, que reúne 5 mil freqüentadores aos domingos, foi cenário de uma das primeiras apresentações dos Beatles na Inglaterra. Os autógrafos do grupo de Liverpool ainda estão preservados numa parede, nos fundos do templo, por ordem das autoridades locais.

– Um dia, assisti pela tevê a um concerto dos Beatles com milhares de fãs. Fiquei revoltado. Eu perguntei para Deus como um *show* de música poderia estar lotado e a igreja vazia – conta o bispo, ao recordar dos tempos do coreto do Méier, no Rio de Janeiro.

Suíça, Alemanha, Chipre, Rússia, Israel, Botsuana, Guiné-Bissau, Gabão, Lesoto, Malawi, Guiana Francesa, Etiópia, Luxemburgo, Bélgica, Irlanda, Holanda, São Tomé e Príncipe, Suazilândia, País de Gales, Zimbábue, Zâmbia, Austrália, Nova Zelândia, Polônia e Ucrânia. E, mais recentemente, o continente asiático: Hong Kong, Filipinas, Índia. Um dos avanços atuais do bispo Macedo se concentra nos países árabes. Em uma das últimas reuniões na Europa, ele determinou uma ofensiva em direção às nações muçulmanas. Senegal foi o primeiro alvo atingido.

Como é possível tanta penetração em países de culturas tão diferentes? Para Edir Macedo, há uma razão.

– O segredo é a fé. A universalização de nossa mensagem está na natureza da própria mensagem: o conteúdo da Bíblia é universal e fala a todos os povos, porque o espírito é um só.

O especialista em religião Ênio da Costa Brito, que pesquisa a trajetória de Edir Macedo há dez anos, tem uma teoria.

– A marca da Igreja Universal sempre foi a ousadia. É a marca do bispo – afirma ele, doutor em teologia pela Pontifícia Universidade Gregoriana, de Roma.

Os megatemplos no Brasil refletem essa marca. A chamada era das catedrais começou na década passada após uma tragédia: a queda do telhado de uma igreja em Osasco, em São Paulo. Naquela madrugada, em setembro de 1998, Edir foi acordado às pressas. De passagem pelo país, correu para o local do desabamento. Vinte e cinco pessoas morreram e 465 ficaram feridas.

– Foi um acidente traumático para todos nós. Foi uma fatalidade. Eu não entendi o motivo – lembra Edir, que se emocionou ao se solidarizar com os fiéis, ao vivo, em um programa de televisão da Universal. – Fui ao hospital visitar as vítimas, demos completa assistência. A igreja indenizou as famílias. Fizemos mais do que a Justiça determinou. Sei apenas que serviu de lição: desde aquele tempo, passamos a construir nossas catedrais. Aprendemos a não alugar mais qualquer prédio.

A construção de templos monumentais se estendeu por diversas cidades brasileiras e do exterior. No total, já foram erguidas quarenta catedrais em todo o país. Em São Paulo, centro estratégico para a atuação da Universal, existem hoje catorze catedrais do total de novecentas igrejas em todo o estado. Em Minas Gerais, região tradicionalmente católica, são 365 templos. Na Bahia, 355. No Rio Grande do Sul, 230. E no Distrito Federal, 169.

FUNDAÇÃO
Construções semelhantes à da Catedral de Del Castilho aumentaram nos últimos anos

O Rio de Janeiro, estado em que tudo começou, tem hoje setecentos templos. E inclui a atual sede mundial: a catedral de Del Castilho. Na época de sua inauguração, a imprensa carioca apelidou o lugar de "Maracanã da fé".

O passo agora é maior. A ordem é erguer um templo de grande porte como esse em cada capital de país aonde a Universal chegou. Já existem dezoito áreas compradas em lugares como Piauí e Sergipe, no Nordeste; Acre e Rondônia, no Norte brasileiro; Miami, nos Estados Unidos; Uruguai e Chile, na América do Sul; Panamá, Jamaica, Costa Rica e El Salvador, na América Central; além de Nigéria, Port Elizabeth, Costa do Marfim e Malawi, na África. E catedrais estão quase em funcionamento em sete cidades brasileiras e em outros três países: Costa Rica, Botsuana e África do Sul. Há terrenos com projetos em execução na Itália, Romênia e França. A catedral de Paris será erguida para mil pessoas até o final de 2008.

– Eu passei muitos momentos difíceis. São 43 anos de conversão. Mas tudo para suportar as obrigações de hoje – reflete Edir, ao comentar o balanço de suas realizações, que, de tempos em tempos, ecoam até na imprensa estrangeira.

No dia 4 de julho de 2007, por exemplo, o bispo Macedo ganhou a capa do principal jornal econômico do planeta. O americano *The Wall Street Journal* estampou o título: "Pastor brasileiro enfrenta a gigante da televisão". A reportagem descrevia o crescimento da Rede Record e a ameaça da emissora à hegemonia da Rede Globo. E relembrou os históricos ataques dos anos 1990, já retratados neste livro no capítulo "Confidências inéditas".

– Edir Macedo, o líder da Igreja Universal do Reino de Deus, sabe em primeira mão o impacto dos melodramas produzidos pela TV Globo, a maior rede de televisão da América do Sul. Afinal, a Globo chegou a exibir uma minissérie nada lisonjeira, chama da *Decadência*, sobre um pastor inescrupuloso claramente inspirado no próprio Macedo – afirmou a reportagem. – Ao encarar a Globo, o bispo está se vingando dela e, com isso, sacudindo um dos mercados de tevê menos competitivos do mundo.

Edir Macedo, personagem principal da matéria, aparece na primeira página, em um dos tradicionais retratos desenhados a bico-de-pena, marca registrada do *The Wall Street Journal*. O

THE WALL STREET JOURNAL.

THURSDAY, JULY 5, 2007 · VOL. CCL NO. 3

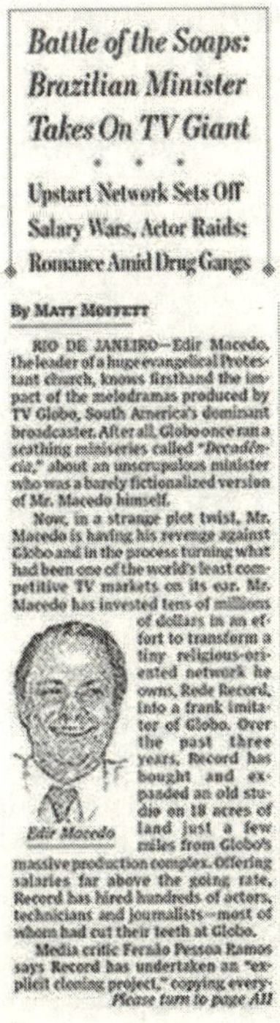

Battle of the Soaps: Brazilian Minister Takes On TV Giant

* * *

Upstart Network Sets Off Salary Wars, Actor Raids; Romance Amid Drug Gangs

By MATT MOFFETT

RIO DE JANEIRO—Edir Macedo, the leader of a huge evangelical Protestant church, knows firsthand the impact of the melodramas produced by TV Globo, South America's dominant broadcaster. After all, Globo once ran a seathing miniseries called "*Decadência*," about an unscrupulous minister who was a barely fictionalized version of Mr. Macedo himself.

Now, in a strange plot twist, Mr. Macedo is having his revenge against Globo and in the process turning what had been one of the world's least competitive TV markets on its ear. Mr. Macedo has invested tens of millions of dollars in an effort to transform a tiny religious-oriented network he owns, Rede Record, into a frank imitater of Globo. Over the past three years, Record has bought and expanded an old studio on 18 acres of land just a few miles from Globo's massive production complex. Offering salaries far above the going rate, Record has hired hundreds of actors, technicians and journalists—most of whom had cut their teeth at Globo.

Media critic Fernão Pessoa Ramos says Record has undertaken an "explicit cloning project," copying every-

Please turn to page A11

Edir Macedo

BICO-DE-PENA
"Guerra de novelas – pastor brasileiro enfrenta a gigante da televisão", diz a capa do *The Wall Street Journal*, em julho de 2007

jornal cita em detalhes a arrancada da Record na audiência e os investimentos na construção do RecNov, no Rio, e na contratação de centenas de atores e jornalistas, vários deles vindos da principal concorrente.

– Em São Paulo, o maior mercado do Brasil, a Record dobrou sua fatia de espectadores em horário nobre para 16%, nos últimos três anos, e pulou para o segundo lugar, depois de ficar anos em terceiro.

O *The Wall Street*, respeitado no mundo inteiro por sua tradição e credibilidade, destacou também a ligação história da Globo e seus fundadores com o catolicismo brasileiro.

– A Globo, cuja família controladora, os Marinho, é historicamente próxima do *establishment* católico do Brasil, tem com freqüência apresentado reportagens críticas à coleta de dinheiro da Igreja Universal – citou o jornal americano.

Para o professor universitário Gabriel Priolli, estudioso de comunicação há 26 anos, a reportagem do *The Wall Street Journal* foi pontual:

– Edir Macedo adquiriu a segunda emissora mais antiga do Brasil, dona de um acervo riquíssimo e uma história de glórias, em fase pré-falimentar. Em quinze anos, reformulou-a completamente, expandiu a rede de emissoras afiliadas e colocou-a na segunda posição nacional de audiência, na rota da liderança. Ninguém mais do mercado duvida que a Record disputará o primeiro lugar com a Globo em poucos anos.

– Perfil empresarial à parte, a maior capacidade do bispo Macedo está em perceber as necessidades das camadas populares. Toda organização que consegue reintegrar pessoas terá sempre um papel importante para o país. Esse é o caso da Universal, não há como negar essa importância – afirma Edin Sued Abumansur, professor de religião da Pontifícia Universidade Católica de São Paulo.

Esse resgate social é visível em qualquer espaço de culto da Universal. Bastam alguns minutos em algum templo, para chegar à certeza da lacuna do poder público. Os cientistas em religião, sociólogos e antropólogos, consultados neste livro-reportagem, nem sempre concordam com os métodos teológicos de Edir Macedo, mas são unânimes em um ponto: a Universal é a igreja

LER E ESCREVER
Projeto de alfabetização da Universal: 8 mil formados por ano

dos "ex". Viciados, criminosos, prostitutas, presidiários, agressores, desocupados, suicidas, desenganados.

O braço assistencial é extenso. E atua em diversos *fronts*. Para jovens carentes, um projeto que agrupa 300 mil adolescentes em todo o país: são atividades culturais e esportivas, além de dezenas de cursos profissionalizantes. Para as crianças, a chamada Escola Bíblica Infantil. Para adultos analfabetos, um programa de ensino básico, que forma 8 mil pessoas por ano em duzentas unidades da Universal, batizado de "Ler e Escrever". Para as famílias do sertão, a conhecida Fazenda Canaã – área de irrigação e atendimento beneficente na cidade baiana de Irecê. Para os parentes de presidiários, assistência social. Somente em São Paulo 70 mil detentos recebem esse tipo de auxílio.

A própria liderança da igreja é resultado dessa capacidade de reintegração de marginalizados. A maioria dos bispos e pastores veio de baixo. Chegou à Universal depois de excluída do meio social.

– Eu passava os finais de semana me drogando. Meu pai era louco. Eu não tinha o que comer. Não havia futuro para mim – conta Romualdo Panceiro, o líder no Brasil há onze anos.

Romualdo, que já foi até cortador de cana-de-açúcar, pisou pela primeira vez na igreja em um culto do então pastor Macedo, em 1981. Foi num domingo à tarde, no prédio da antiga funerária. Nunca mais saiu. Freqüentador, evangelista, obreiro, pastor. E não parou mais de crescer na hierarquia da instituição.

Em 1988, Romualdo teve o primeiro contato mais profundo com o bispo. Pastor no bairro de Copacabana, no Rio, era o dia de ganhar seu primeiro automóvel. Os dois se lembram de quando se conheceram.

– Quando o bispo me chamou, eu tremia todo – lembra Romualdo, que ainda estava na terceira aula para conseguir a carteira de habilitação.

'O MAIOR MILAGRE'
Com o bispo Romualdo Panceiro, há onze anos o líder da igreja no Brasil

– Eu sabia que ele precisava de um carro para cumprir as obrigações da igreja – conta Edir.

Mesmo sem saber dirigir, Romualdo guiou o carro do templo da Abolição até Copacabana. O percurso comum, feito em vinte minutos, sem trânsito, levou mais de três horas.

O bispo Macedo sempre cuidou pessoalmente de Romualdo. E demonstra um afeto especial ao falar do companheiro de altar.

– Ele é o maior milagre da Igreja Universal – afirma Edir, referindo-se a sua reintegração e a sua atual capacidade de comando.

Romualdo Panceiro é temido entre os pastores da igreja. Mas, horas depois de convívio, demonstra gentileza e bom humor. É o homem de confiança de Edir Macedo. Seu sucessor oficial. O herdeiro, nas palavras do próprio bispo.

– Se eu morrer hoje, o Romualdo assume tudo. E tenho certeza de que os demais bispos irão respeitá-lo como me respeitam hoje. A Igreja Universal não é um trabalho pessoal, mas uma obra espiritual.

Ao saber das palavras do bispo Macedo, Romualdo interrompe nossa entrevista.

– O bispo falou isso? Não, eu não posso... Eu não tenho condições, eu não tenho condições... – repete, com os olhos lacrimejados.

E AGORA?

O estribilho vem de longe.

Um coro de vozes. O colorido das roupas. A feição alegre.

Estamos em Soweto, bairro símbolo da luta contra o preconceito racial na África do Sul.

Acompanhamos Edir Macedo na inauguração do maior templo da Igreja Universal no continente africano. Faltam duas horas para o começo do evento. Os fiéis tomam a frente do altar. Gingam de um lado para outro, em passos ritmados, ao som de música zulu – um dos dialetos mais falados na capital Johannesburgo.

Mais de 14 mil pessoas aguardam o bispo. O novo templo ficou pequeno. Quatro mil pessoas entupiram o estacionamento. Por falta de espaço dentro, preparam-se para assistir à reunião do lado de fora, por dois grandes telões. Por onde prega, Edir Macedo arrasta multidões.

Chegamos por uma entrada reservada da igreja. Minutos antes, ainda no carro, a divisão de tarefas para o culto. Edir pede ao genro para pregar sobre fé.

– O fogo é com você, Renato (*Cardoso*).

– É comigo mesmo – responde o genro.

O vozerio mexe com os pregadores.

– Hoje vai arrebentar, hein! – comenta Edir, que ainda não tinha conhecido o novo prédio.

A construção é vastíssima. Ocupa um terreno enorme em Soweto – um oásis na paisagem de barracos de zinco e casebres irregulares. O

ESTRANGEIRO BRANCO
Evento de inauguração da Universal na África do Sul

investimento é de 20 milhões de dólares. O conforto do lugar, com ar-condicionado e cadeiras estofadas, é um luxo raro nessa parte do país. Em toda a África, já são 23 templos da Universal, cuja expansão iniciou-se com um pequeno prédio no centro da capital sul-africana, em 1992, ainda nos tempos do *apartheid* – lei de segregação que impunha a dominação dos brancos sobre os negros.

O bispo veste roupa tradicional. Uma espécie de beca bege, incrementada com bordados em preto. A gravata continua no figurino. Ele está contente, parece realizado.

– Vamos construir uma catedral como esta em cada capital da África. O lugar que o mundo rejeita é o foco da Igreja Universal. Os excluídos eram o foco de Jesus.

Faltam alguns minutos para a inauguração oficial. Descemos as escadas ao lado do bispo. No meio do caminho, olha pela janela a multidão do lado de fora. A cantoria aumenta. A dois passos de aparecer em público, ao abrir a porta, ele nos fita. Ergue as sobrancelhas, nos aponta com os olhos a igreja entupida. E sorri.

O bispo Edir Macedo surge no altar. É ovacionado.

Frenesi em Soweto.

Na primeira fila da igreja, a mulher, Ester, e Cristiane, a filha mais velha. Todas de trajes típicos. O bispo prega em inglês, com tradução simultânea para dois dialetos locais.

– Deus deseja que você tenha visão. Esta igreja bonita, grandiosa, não é nada perto do que Deus quer fazer na sua vida. Ele quer que você cresça, seja bem-sucedido, seja um referencial Dele neste mundo.

Depois de rezar, comanda uma iniciativa inédita e surpreendente na região mais pobre do planeta: distribui camisinhas no próprio culto. Cento e cinqüenta mil preservativos passam de mão em mão.

– Quem tem familiares ou conhecidos que morreram com Aids? – pergunta Ubirajara Fonseca. Mais de 7 mil pessoas erguem as mãos.

Em seguida, a alegria dos africanos envolve o evento. Edir não se contém. Dança como criança. Chama os fiéis para cima do altar. E dança.

O som ecoa pelas ruas vizinhas à igreja de Soweto.

Da África para o Brasil.

Em um dos andares da catedral de São Paulo, Edir nos leva para conhecer o seu mais audacioso empreendimento dos últimos tempos. Um projeto guardado a sete chaves. Caminhamos alguns passos até o fundo de um salão de reuniões. Está lá, num dos cantos. A maquete do mais arrojado templo na história da Igreja Universal.

Será uma superigreja retangular com 150 metros de comprimento e 100 metros de largura – dimensões que superam as de um campo de futebol oficial e as do maior templo da Igreja Católica na cidade de São Paulo, a Catedral da Sé. São mais de 80 mil metros quadrados de área construída num quarteirão inteiro de 28 mil metros. A altura é de um prédio de dezoito andares – quase duas vezes a altura do Cristo Redentor.

A fachada e o altar serão revestidos com pedras importadas de Israel. Candelabros e uma arca dourada, de tamanhos ampliados, adornarão o templo. A igreja será no Brás, um dos bairros mais populares de São Paulo, e terá capacidade para 13 mil fiéis sentados.

A idéia surgiu na última visita de Edir e dos demais bispos a Jerusalém. Um investimento de 200 milhões de reais que, segundo o bispo Macedo, foi inspirado no famoso "templo de Salomão" – referência à igreja idealizada por um dos personagens bíblicos mais conhecidos da história, imortalizado por sua fé e riqueza.

– Será a mais bela das nossas igrejas no mundo inteiro. O templo da glória de Deus no Brasil – diz o bispo.

É uma de nossas últimas entrevistas com Edir Macedo.

Já é começo de noite.

Foram catorze meses de encontros para revelar detalhes desconhecidos sobre a vida do personagem religioso mais amado e odiado do Brasil. Sem rótulos.

O PASSO MAIOR
Maquete da nova igreja, em São Paulo: dezoito andares, duas vezes a altura do Cristo Redentor

A rigidez do líder no comando de uma das maiores igrejas evangélicas do mundo.

A ousadia do empresário na tomada de decisões estratégicas.

A ambição assumida no comando de uma das maiores emissoras de televisão do país.

O esforço físico do pregador em horas seguidas de vôos em viagens religiosas.

O talento ao se comunicar com milhares de seguidores em reuniões abarrotadas.

A intimidade com a família nos momentos de lazer. A fragilidade do marido ao ganhar um afago da mulher. O sorriso fácil do avô com seu neto adotivo.

A lucidez ao defender o direito ao aborto e distribuir camisinhas no continente mais devastado pela Aids.

O incômodo ao relembrar os dissidentes.

A fúria ao mapear os inimigos.

A fé ao fazer prognósticos da igreja para o futuro.

A dor ao tocar em conflitos do passado.

A prisão. As acusações. As defesas. Os ataques.

O bispo Macedo jamais visto.

Catorze meses de entrevistas, centenas de perguntas. E uma dúvida ainda incomoda: Edir Macedo chegou aonde quer chegar?

Enfim, perguntamos.

Ele olha para o alto. Emudece por alguns segundos.

– Não – responde, seco.

Deixa escapar um sorriso misterioso.

Insistimos. Aonde, então, quer chegar?

– Eu revelei tudo para este livro. Mas essa informação eu não posso dar.

O bispo se levanta. Ajeita a gravata. Despede-se.

É hora de mais um culto.

Templos da Igreja Universal pelo mundo

BRASIL

Brás, São Paulo, SP

Curitiba, PR

Santo Amaro, São Paulo, SP

Rio de Janeiro, RJ

Belo Horizonte, MG

Salvador, BA

Santo André, SP

João Pessoa, PB

AMÉRICAS

Bogotá, Colômbia

Buenos Aires,
Argentina

Cidade do Panamá, Panamá

Santiago de
Guaiaquil,
Equador

Colonia Tacubaya,
México

Miami, EUA

Nova York, EUA

ÁSIA

Moscou,
Federação Russa

Hamamatsu-shi, Japão

Manila, Filipinas

ÁFRICA

Abidjan,
Costa do
Marfim

Soweto, África do Sul

GIGANTE DO MARACANÃ
Megaconcentração com 200 mil fiéis em 1987: marco na história de Edir Macedo

ANHANGABAÚ, SP, 1995
300 mil fiéis

CENTRO DO RIO, 1995
200 mil protestam contra a Rede Globo

PRAÇA DA APOTEOSE, RJ, 1998
250 mil fiéis

ENSEADA DE BOTAFOGO, RJ, 2007
1 milhão e 900 mil fiéis

FEITO NATIVO
Santiago de Guaiaquil, Equador: de chapéu e poncho em cima do altar

TRAJE TÍPICO
Soweto, África do Sul: pregação em inglês com tradução para dois dialetos

EM CASA
Del Castilho, Rio: reuniões aos domingos para 12 mil pessoas

JORNALISMO RECORD
Redação da emissora em São Paulo: mais de mil jornalistas em todo o país

LOGOTIPO
O primeiro canal 24 horas de notícias da teve aberta no Brasil

RECNOV, RJ
31 mil metros quadrados de estúdios exclusivos para a produção de novelas

O bispo foi impresso em São Paulo/SP
pela Oceano Indústria Gráfica e Editora,
para a Larousse do Brasil, em setembro de 2007.